米語ウォッチ

アメリカの「今」を読み解く キーワード131

ニューヨーク州弁護士
旦 英夫
Hideo Dan

イラスト：あしたのんき

はじめに

　言葉は社会の動きと変化を映す鏡です。ニュースや日常の話題で飛び交う米語のキーワードをWatch（注視）することで、アメリカの変化を知ることができます。学生時代にアメリカの大学でジャーナリズムを専攻した私は、ニューヨーク・タイムズをはじめとするアメリカのメディアに毎日目を通しています。同時に、多くのアメリカ人と付き合いの機会をもち、論議を交わし、出現する新しい米語の背景を理解しようと努めるのが何よりの楽しみです。米語には厳密な定義はありませんが、長年ニューヨークで暮らしてきた私自身が、肌で感じ取った生きた言葉を、本書では米語として紹介したいと思います。

　超大国アメリカ合衆国は、日本の唯一の公式同盟国であり、政治、経済、文化のどの分野においても、その緊密さは他国との関係とは比較になりません。今、アメリカは大きな変動の渦中にあります。保守派と進歩派の対立が社会の分断を招き、国内に大きな混乱を生み出しています。そのような状況の中、人種間対立、犯罪対策、銃規制、人工中絶、移民問題、気候変動、所得格差、LGBTQ対応などの課題で、論議が沸騰しています。アメリカ人との交流、ビジネス・投資に関わる方やアメリカにご興味のある方が、この国の変化とその背景を理解することは大事なことでしょう。

　私は、商社駐在員、ニューヨーク州弁護士、会社役員として約45年の歳月をアメリカにて過ごしてきました。仕事を遂行する中で、アメリカをより深く理解する必要に迫られました。その中で、会社の仲間、またクライアントにアメリカのことを理解してもらうことも、自分の重要な任務だと認識するようになりました。11年前の2013年、ニューヨークの日本語新聞『週刊NY生活』紙にコラム「米語Watch」を連載

1

し、自分の米語の知見を日本人読者と共有する機会を得ました。ありがたいことに、このコラムは好評を博し、今日に至るまで続いています。この連載を基に6年前、PHP研究所から『米語でウォッチ！日本からは見えないアメリカの真実』が出版されました。それを契機として『Asahi Weekly』と『朝日新聞』『朝日新聞デジタル』とに「米国がわかるキーワード」として連載されるようにもなりました。

　その米語Watchの蓄積が新たに131語になり、このたび、改めてPHPエディターズ・グループから本書を出版する機会をいただきました。コラムの多くに「あしたのんき」さんによるイラストをつけることで、より楽しい読み物にすることができたと思います。皆様に拙著を手に取ってもらい、アメリカの今の姿の一端を知っていただけるなら、著者としてそれ以上の喜びはありません。

　本書においては、新聞、テレビ報道、Web記事、団体のホームページなどから多くの文章を引用させていただきました。引用先は個別に明示致しましたが、改めて感謝申し上げます。

　最後にこの出版に協力してくださった『週刊NY生活』紙発行人三浦良一、PHPエディターズ・グループ佐藤義行、髙橋美香、朝日新聞社の金漢一、小倉いづみ、ジャーナリスト笹野大輔、友人のElisha Huang、美智子シュワブ、三浦光二の各氏、また、妻敬子にも、心からの謝意を表します。

　　　　　2024年6月　ニューヨーク州　ライ市にて　　　　旦 英夫

contents

chapter 1

文化・生活

アフターコロナの日常

コロナ禍を経たアメリカで生きる
人たちの、日常生活が垣間見られる
キーワードを中心に集めました。

Blursday
何曜日?

　アメリカ人との電話の途中で、「今日、何曜日だったっけ？」と聞いたら、少し間を置いて「**Blursday**」と返ってきました。Blur は、ぼんやりさせるという意味で、Blursday は曜日の感覚があやふやになった日という流行語（Thursday と韻を踏んでいます）。

　コロナ禍によるパンデミックの間、そしてその後も、多くの人が**WFH**（**Work from Home**──自宅勤務）で、週日と週末の境がはっきりせず、曜日の感覚そのものも怪しくなっていることのあらわれです。もともと、Blursday は二日酔いで頭がクラクラしている日を意味したようですが、今では意味がすっかり変わってしまいました。

　Blursday に陥るのは精神的に悪いと、対処法がいろいろ提案されています。まず、WFH の１日の時間割を意識すること、そして１週間の新しいルーチンを決めること。月曜は友人にご機嫌伺いの電話、火曜は近所のレストランからテイクアウト、水曜はヨガ教室……。週末が一番大事で、土曜は遠くの山や海までドライブ、日曜は特製オムレツでブランチ等々。

　もっとも、罪悪感を持たずに Blursday をエンジョイしなさいという専門家の意見もあります。特に、いつも超多忙な日々を送ってきた人には、たまには時間の流れにボーッと身を任せるのもいいと。なるほど！

■■■■ 例文

What day is it, Blursday? I feel the weather changing and I know that summer is inching closer and closer but to be honest all of our days are really blurring together! Welcome to "Blursday!" (*https://buildingourstory. com*)

■■ 訳　今日は何曜日、Blursday？　天気の移り変わりの気配はあり、夏が少しずつ近づいているのはわかります。でも正直言うと、毎日毎日が本当に一緒くたになっているのです！　Blursdayへようこそ！

Body-shaming
他人の体の悪口を言ったり、辱めること

Body-shaming とは、人の体について悪口を言ったり、辱^{はずかし}めたりすることです。Shame は名詞で恥、動詞では恥をかかせること。現実的にアメリカでは肥満の人が多く、いろいろな場面で太りすぎに関するコメント（**Fat-shaming** と言います）をよく耳にします。

しかし、アメリカはいかなる差別に対しても敏感な社会ですので、人の体や外観についての悪口には気をつけねばなりません。善意のアドバイス、例えば「体重を少し減らすと健康にいいと思うよ」と言うのも、Body-shaming として受け取られることがあります。日本のお笑い芸人が体に関するギャグで観客を笑わせることがよくありますが、これはアメリカでは非難される可能性が高いです。

Body-shaming に対して、**Body-positive Movement** という運動が台頭してきています。自分の体について自信を持ちましょうという運動です。体は個性であり、それを誇ることが、精神的な安定と自信に繋がるというのです。個人の特性を尊重するアメリカ社会らしい考え方です（この運動のせいで、肥満の人が体重を減らす努力をしないのは、医学的に問題という意見ももちろんあるでしょうが……）。

■■■ 例文

The body shaming of fat people, especially women, is not a new phe-
nomenon, and in recent times the body-positive movement has slowly
crept beyond the West and the United States to create awareness of
the issue. (*Asia Times*)

■ 訳　肥満の人、特に太った女性に対する **body shaming** は新しい現象ではあ
りません。最近、**body-positive movement** が欧州やアメリカを超えて
じわじわと広がってきた結果、（アジアにおいても）この問題に対する
気づきをもたらすことになりました。

Breadcrumbing
本気なふりをして、気を持たせておくこと

　最近、女性が真剣な交際を求めるのに対して、男性はそれに呼応していないと指摘する声を聞きます。それを反映する米語の一つが、**Breadcrumbing** です。

　Breadcrumbingは、直訳するとパンくずをまくことですが、流行語としては、男が相手の女性に本気らしい意味ありげな態度をとって、気を持たせておくことを意味します。小鳥に、パンくずをチョコチョコあげてなつかせるという感じで、結婚相手を真剣に探している女性のほうは、結果として適当に遊ばれているのです（男女が反対の立場になることもあるでしょう）。

　Benching という言葉もよく聞きます。これは男女の交際において、本命ではない相手を、野球のベンチに置いておくように予備として扱うことです。「付き合ってはいるのに、あの人は私のことを本気で考えてくれているのか、それとも自分は二番手のすべり止めなのか」。本当の恋人が欲しいなら、こんなBencherに付き合って無駄なデートをする時間はありませんね。

　結婚カウンセラーは、曖昧な態度をとる相手とは意図を確かめるための断固とした対話をしなければならないと、強くアドバイスします。そうすることが、真剣な交際かBreadcrumbing（またはBenching）かを見極める唯一の方法なのでしょう。

例文

If breadcrumbing is happening in a relationship that's important to you, confronting the person is worth it, Campbell (a professor of psychology at California State University) said. (*CNN*)

訳　もし、あなたにとって大事な人との関係に **breadcrumbing** が起きているのなら、その人と断固として話すことが重要であるとキャンベル氏（カリフォルニア州立大学心理学教授）は言いました。

Bro Culture
男中心の（身勝手な）文化

Broとは Brother のこと。"Hi, bro!"と男同士の「ヨーッ」という感じの挨拶で使われます。今、アメリカ社会で問題になっている **Bro Culture** とは、女性を差別的に扱う、男たちの身勝手な文化・風潮・態度のことです。

Bro Culture は、大学の男子寮（**Fraternity**）などでは、ある程度当然視さえされていました。男同士で徒党を組んで大騒ぎしたり、女子学生に不適切な行動をとったりすることが日常的にあるのです。

しかし、これが今やビジネス界でも問題になっています。とりわけ、シリコンバレーのハイテクの企業において、男性優位の Bro Culture がはびこり、女性差別が横行していると言われます。そこでは幹部層が男性に占められているということだけではなく、職場環境の中でも女性が嫌な経験を味わうことが多々あるようです。

Bro Culture は、男女平等を標榜してきたアメリカ社会においても、今なお女性が教育や仕事の現場で、不本意な状況に置かれている現実を反映しているのです。

■■■ 例文

Bro culture has always been a part of the corporate world. It is especially prevalent in Silicon Valley which is the hub for tech companies.

(*vantagecircle.com*)

■■ 訳　**Bro culture**はいつも企業世界に付きまとう属性でした。とりわけ、最新技術の会社の中心地たるシリコンバレーでは、これが顕著です。

Cabin Fever
巣ごもりイライラ症

　自宅に閉じこもって気が滅入っている状況を、アメリカの友人たちは **Cabin Fever** と表現します。Cabin とは小部屋、Fever とは発熱。つまり、狭いところに閉じ込められて、肉体的にも精神的にも苛立っている状態をあらわす常套句です。コロナ禍によるパンデミックの間、「Cabin Feverで大変」という話をよく聞きましたが、収束した後も在宅勤務（WFH）の普及で、同様の事態に陥っている人が多くいると言われます。

　その原因がどうであれ、Cabin Feverの結果、精神的なバランスを失う事態が発生します。また夫婦喧嘩や家庭内暴力（**Domestic Violence**）が増えることも懸念されます。

　閉じこもっている人々のため、体操やヨガ、そして料理やパンづくりなどを教えるオンライン教室が流行っています。また、Zoom などのビジネス用のオンライン会議システムを使って、友人たちや離散家族とのネット上の溜まり場（**Virtual Hangout**）をつくり、人恋しさを慰めることも可能です。Cabin Feverに陥っている友人がいれば、それに対応する方策を、一緒に考えてあげたいものです。

■■■ 例文

If you are experiencing cabin fever as a result of social distancing or self-quarantine in the wake of the coronavirus (COVID-19) pandemic, you may be feeling additional stress beyond that which stems from simply being isolated. (*www.verywellmind.com*)

■■ 訳　もしあなたが、新型コロナウイルス（COVID-19）パンデミックのため、接触自粛や自主隔離の結果として、**cabin fever** に陥ってしまったら、単に隔離される場合よりも、ずっと強いストレスを感じているかもしれません。

Cakeage

ケーキ持ち込み料

　アメリカ人の友人が、マンハッタンのレストランに電話して「娘の誕生日パーティーのために妻が作ったデザートを持ち込んでよいか」と聞きました。そのレストランの答えは、「**Cakeage**は客１人につき５ドルです」。

　Cakeage（ケーキ持ち込み料）という比較的新しい言葉は、ワインの持ち込み料を意味する**Corkage**を真似て作られました（このCorkはコルクで、コルク栓抜き料ということでしょう）。

　日本で、レストランにワインやデザートを持ち込むという発想はあまりないでしょうが、アメリカの多くの店では持ち込み料と引き換えに認めています(事前に確認してください！)。とりわけ誕生日に自家製ケーキを持っていくのは楽しいでしょう。「ハッピー・バースデー」の大合唱の後、誕生日の当人がケーキを飾るローソクを吹き消すのを見て、まわりのテーブルの人たちも一斉に拍手するのは、アメリカのレストランでよく見かける微笑ましい光景です。

　ちなみにマンハッタンでは、ワインのCorkageは30 〜 50ドルくらいが普通です。レストランでのワインの値段は、仕入れ値の３倍くらいすると言われていますから、高いワインを飲むのなら、持ち込んでCorkageを払ったほうが得という計算が働きます。一方、「Cakeageは１人５ドル」と言われたこの友人。皆の盛大な拍手の後、店の人が大

きなフルーツ・ケーキを上手に切り分けて、きれいなお皿に盛って配ってくれたので、奥様も娘さんも大喜びしたそうです。今度は夫婦の結婚記念日の食事（**Anniversary Dinner**）に行くと言っています。客の希望を満たすのは、サービスとしてもビジネスとしても理にかなっていますね。

例文

Restaurant owners say cakeage covers the cost of the waiter's time and washing the dishes. It also helps offset the loss of revenue from in-house desserts and makes up for the extra time a party will be at the table but not ordering food. (*New York Times*)

訳　レストランの店主は、**cakeage**はウエイターの労働時間と皿洗いのコストをカバーするものと言います。加えて、それは店のデザートからの収入が失われるのを埋める助けとなり、また客が食べものを注文せずテーブルに居座る時間を収入につなげるためのものです。

Cancel Culture
人のことを一方的に切り捨てる風潮

　Cancelは取り消すことですが、人間関係においては気に入らない人を一方的に非難し、切り捨てることを言います。原点は若者がネット上、特定の有力者や著名人、セレブを批判し、「そんな奴はCancel！」と表現すること。今やアメリカの社会、政治のありとあらゆる局面でCancelが飛び交い、それが象徴する風潮を **Cancel Culture**（または **Call-out Culture**）と言います。

　この風潮に対して、オバマ元大統領は、気に入らない人や考えを一方的に否定するだけで自己満足を得ようとするCancel Cultureは、変革を求めるための本当の行動主義ではないと若者たちに注意を促しました。立場は違いますが、トランプ前大統領は、奴隷制度を容認した歴史上の人物の彫像を倒すような行為は、歴史そのものを一方的に無視するCancel Cultureだと批判しました。

　Cancel Cultureを、不満に基づく思慮の浅い行為と見るのか、それとも一部の人々が主張するように、一般庶民による声なき声の発現と考えるべきなのか、見方は様々です。いずれにせよ、この風潮がアメリカ社会分断の申し子であることは否定できないでしょう。

■■■ 例文

Cancel culture, the online trend of calling out people, celebrities, brands and organizations - rightly or wrongly - for perceived social indiscretions or offensive behaviors, has become a polarizing topic of debate. (*CNN*)

■■ 訳　Cancel culture、これは他人、有名人、ブランドや組織を相手に、社会的に無分別または非常識な行為だと思われることにつき（正しいか間違っているかは別として）、オンライン上で非難する風潮のことですが、それが両極端な論議の種になってきました。

Doomscrolling
ネットで暗いニュースをずっと追うこと

アメリカ人との会話で**Doomscrolling**という言葉を聞くことがあります。Doomは暗い運命・状況、Scrollは画面をクルクル移動させること。つまりネットで悪いニュースをずっと追い続ける行動を意味します。

ロシアのウクライナ侵攻、イスラエルとハマスの戦争から始まり、大統領選挙を控えたアメリカ社会の分断に関するDoomのニュースが嫌でも入ってきて……。やめればいいのに、つい何が起きているのか、画面をScrollしてしまう。それが今のアメリカ人の多くです。

これが高じて、うつ病（**Depression**）を発症する人もいるそうです。精神に異常を来さないためには、画面を見る時間（**Screen Time**）を自分で意識して大幅に減らすべきと専門家は言います。自分でやれないなら、そのための**Digital Detox**（デジタル機器への依存症治療）のプログラムがあります。そこではスマホを預け、楽しく創造的な時間を演出してもらうこともできます。

日常生活では睡眠障害に陥る人もいるでしょう。その対策として、就寝前2時間はスマホを遠くに置いて、悪いニュースをDoomscrollingしないように勧められています。気持ちを切り替えて、Doomscrollingはやめましょう。そして、楽しいことを考えましょう。

例文

The overall impact doomscrolling has on people can vary, but typically, it can make you feel extra anxious, depressed, and isolated, Yeager says. (*health.com*)

訳 doomscrolling の人々への全般的な影響は人により異なるが、典型的には、不安、うつ、そして孤独をすごく感じるだろうと、イエーガー（精神科医）は言います。

Flexitarian
少量の肉はOKな、菜食主義者

　アメリカ人は太りすぎの人が多いせいか、ダイエットの話をよくします。今流行っているダイエットは何かと友人たちに聞いたら、**Flexitarian** という答えが返ってきました。Flexible（柔軟）な Vegetarian（菜食主義者）ということで、野菜中心だけど、肉も魚も少しずつはOKということです。

　正式な Flexitarian Diet は、*U.S. News and World Report* が選ぶ、2019年の食事療法ベスト３にランクインしたほどです（１位は野菜・果実とオリーブオイルを中心とする地中海式ダイエット）。自分の健康のためにも、地球環境のためにも（特に牛肉は温室効果ガスの排出という点で環境に悪い！）、菜食主義に移行したい人にとって、少量の肉ならOKという Flexitarian は受け入れやすいのでしょう。

　もっとも、日常会話においては、菜食主義と言いながら実際にはたくさん肉を食べる人を、冗談半分に Flexitarian と呼ぶこともあります。アメリカで菜食主義はよく話題になり、それを謳うレストランもたくさんできましたが、本当に実践するのはなかなか難しそうです。

▬▬▬ 例文

The Flexitarian Diet is a style of eating that encourages mostly plant-based foods while allowing meat and other animal products in moderation. (*www.healthline.com*)

▬▬ 訳　Flexitarian Diet とは、肉や他の動物製品をある程度までは許容しながらも、大体において植物由来の食品を推奨する食事スタイルです。

[メ モ]

Faketarian という言葉もあります。これは、自分は菜食主義だと吹聴^{ふいちょう}するけれど、本当は肉を食べる偽（fake）の菜食主義者という意味です。

Friendsgiving
友人同士で楽しむ感謝祭

　毎年11月、アメリカ人は**Thanksgiving**（感謝祭）をみんなで祝います。その中で、**Friendsgiving**という言葉をよく聞くようになりました。これは、主に若者たちが、感謝祭前後に友人同士で集まるパーティーのことです。

　伝統的なThanksgivingは、親や親戚の人と一緒に七面鳥を中心にしたご馳走を楽しみます。しかし、その準備やそれにまつわる家族・姻戚関係でストレスを感じる人々も多くいるようです。そのような事情もあり、Friendsgivingと称して、気楽な仲間だけで**Potluck**（食事の持ち寄り）をエンジョイする人が、特に20代後半から30代前半のミレニアル世代に増えているそうです。

　Thanksgivingはもともと、英国から最初に渡ってきたピルグリムたちが、収穫を神に感謝するという宗教的色彩が強いものでした。しかし、だんだんと食べること自体が中心になり、いつの間にか、集まって食事を楽しむ、家族の結びつきを祝う日になりました。

　Thanksgivingはアメリカ社会の変容を反映して、その祝い方が徐々に変化していると言われます。ミレニアル世代が先導するFriendsgiving、これはアメリカ社会における家族関係の変化を暗示するのか……、興味深いです。

The name Friendsgiving is a mashup of "friends" and "Thanksgiving," and the idea is to spend an evening with the holiday's classic dishes and your best buds. *(realsimple.com)*

■ 訳　Friendsgiving という名称は "friends" と "Thanksgiving" をくっつけたものです。そして、これは、祝日の伝統的な料理と親しい仲間たちとで、ひと夜を楽しもうとする考えのことです。

Girl Dinner

ガール・ディナー

　20代の女性グループに、「今、どんなことで盛り上がっていますか」と聞いたところ、**Girl Dinner** との答え。アメリカでも「女子会」かと思ったらそうではありませんでした。Girl Dinner というのは、TikTok で大流行している言葉で、女性が自分のために一人で楽しく作る食事のことです。きれいなお皿の上に、オリーブ、チーズ、野菜、加工肉、果物等を並べて、ワインを片手に楽しむのです。

　Girl Dinner の写真を見て、男たちは腹の足しにならないとか、栄養が足りないなどと批判します。*The New York Times* の評論によると、それこそまさに女性たちが Girl Dinner を楽しむ理由だそうです。アメリカでも、多くの女性は家族のために食事を作ります。男たちから期待されているのは、前菜から始まりメインの肉料理、そしてデザートという一連の流れです。これに押しつけられた義務感を覚え反発する女性たちが、Girl Dinner で盛り上がっているのです。

　Girl Dinner に対して、**Boy Dinner** の写真も SNS 上に多く見られます。肉だけがどっさり載った皿、丸々1枚のピザ等々、男たちがマッチョを気取って投稿しているのかと思ったら、多くは女性が男一人の腹を満たすだけの単純な食事をあざ笑っている写真だと言います。アメリカでは、男女平等は日本よりもずっと進んでいると言われています。しかし、Girl Dinner に関する話を近所の友人たちとすると、歴史的に

根付いた男女の役割、そしてそれに反発する女性の考えを聞くことができます。アメリカ人の友人がおられるなら、Girl Dinnerについて聞いてみてください。とても面白い反応が期待できます。

━━ 例文

You know those nights when your significant other is working late, so, instead of cooking a meal, you just kind of graze? Now it has a name: "girl dinner." And it seems everyone has an opinion on it. *(Glamour)*

━━ 訳　　あなたのパートナーが遅くまで働く夜には、あなたは料理をする代わりに手近の軽いもので済ませることがあるでしょう？　今、それには名前が付いているのです：*"girl dinner."* そして、これには皆さんそれぞれ意見があるようですよ。

Glamping
優雅なキャンプ旅行

　アメリカだけでなく、世界中で**Glamping**が大流行しています。Glamorous（魅惑的な）とCampingをくっつけた言葉で、つまりは優雅なキャンプ旅行です。

　いつの世にも、車のトランクに、テント、バーベキューセット一式を揃えてキャンプ場をめざす人たちはたくさんいます。しかし実際は、相当のアウトドア派でなければ、テントのセットアップから火を起こしての食事の準備まで、簡単には楽しめません。そこで、キャンプはしたいけれどテントは持っていないし、グリル料理の火加減も大変だという都会の人のためにできたのが、Glampingと称するぜいたくなキャンプ場です。

　マンハッタンの南にあるガバナーズ島でのGlamping施設を見学しました。広い敷地に、独立した大きなテントが設置されており、中には寝心地の良さそうなベッドと、ソファが見えます。シャワー付きのトイレも完備しており、夜には星空の下でバーベキューを注文して、楽しめるそうです。

　マンハッタンでの仕事や人間関係の煩雑さから離れて、自然の中で自分を癒やしたい人には、これは楽しい経験となるのでしょう。本格的なアウトドア派からは、そんなのはキャンプとは言えないと叱られそうですが……。

■■■ **例文**

Glamping has come to NYC. I took an 8-minute ferry ride to an island in New York Harbor where people pay up to $1,200 a night to sleep in luxe tents and cabins - here's what it looks like. (*https://www.businessinsider.com*)

- - - - - - - - - - - - - - - - - - -

■■ **訳**　ニューヨーク市にもGlampingがやってきました。ニューヨーク港にある島までフェリーで8分、そこには1泊最高1,200ドルするデラックスなテントやロッジがあります――どうぞご覧ください。

Haul Video
買い物紹介画像

　感謝祭からクリスマスの期間は、買い物のシーズン。アメリカ人（特に若い女性）との会話で、**Haul Video**が話題になります。Haulとは運ぶことですが、ここでは買われたものという意味で使われます。

　最近、買ってきた衣類や化粧品をYouTubeなどで紹介することが大流行りで、その画像はHaul Videoと呼ばれます。関連して**Unboxing Video**というものもあります。届いたゲームやおもちゃの箱を開く瞬間の画像をSNSに投稿するもので、面白いものは即時に何万回ものアクセスがあるそうです。

　多くの若者たちが、衣類でもゲームでもHaul VideoやUnboxing Videoを参考にして買い物をすることから、これらは今、注目のマーケティング手法になりました。人気のある投稿者は**Influencer**と呼ばれ、メーカーや販売店から何万ドルもの報酬をもらう人もいるそうです。マーケティングにおけるSNSの広がりと影響力はとどまるところを知りません。

■■■ 例文

Yes, haul videos make me want to buy more stuff because they often feature my favorite influencers. It makes people want have the same things. (*cbc.cal/kidsnews*)

■■ 訳　はい、haul videos を見るともっと買い物がしたくなります。なぜなら、私の好きなインフルエンサーが出ているからです。みんな同じものが欲しくなるのです。

"Karen"
特権的な態度で人を見下す白人女性

　1960年代、白人家庭に生まれた女子に好んで付けられた名前、**Karen**。このKarenが、横暴な態度をとる白人女性を意味するスラングとして使われています。例えば、店員やウエイターに理不尽な要求をしたり、近所を歩く黒人に「何をしているのか？」と理由なく追及したりするような白人女性です。

　セントラル・パークで起きた事件。鳥を観察していた黒人男性から犬に綱を付けるよう依頼された白人女性が、「黒人に脅されている」と警察に通報をしました。ところが、それが虚偽の通報だったとわかって、資産運用会社の幹部だったこの女性は、「とんでもないKarenだ」とSNS上で糾弾され、刑事訴追されました。

　また、マンハッタンのソーホーのホテルで、白人女性が若い黒人に「スマホを取ったでしょう」と飛びかかり怪我を負わせました。ところが、彼女はスマホをタクシーに忘れていたのです。この女性のひどい態度を示す映像が広まり、彼女は「Soho Karen」と名付けられ、批判の矢面に立たされました。

　Karenは、自分勝手な言動を繰り返す一部の特権的な白人女性を批判する決まり文句になったのですが、普通のカレンさんには少し気の毒です。

■■■ 例文

Lightfoot, the first Black woman elected as Chicago's mayor, didn't mince words in her response. "Hey, Karen. Watch your mouth," she tweeted, using a name commonly used to refer to entitled, racist white women. (*businessinsider.com*)

■ 訳　シカゴの初めての黒人女性の市長、ライトフット氏は歯に衣着せぬ回答をしました。特権的で差別的な白人女性を称してよく使われる呼び名を使って、"あのね、Karen、口に気をつけなさい" とツイートしたのです。

Lawn Mower Parent

超過保護な親

　子育てについて、**Lawn Mower Parent**という言葉が話題になりました。Lawn Mowerとは芝刈り機のこと。子供が直面しそうな問題や障害を、せっせと刈り取ってしまう親を皮肉った表現です。こんな親は、学校の内外で子供が困りそうなことがあれば、すぐに自分から助けに入り、子供の足元をスムーズにしてしまいます。

　また、**Bulldozer Parent**という表現もあります。これは、子供のためにどんな障害物でもブルドーザーでなぎ倒すように強引に取り除く親という意味ですから、もっと過保護な親でしょう。

　子供のことを心配して、空中からヘリコプターのように付きまとう親は、**Helicopter Parent**と呼ばれますが、Lawn Mower ParentやBulldozer Parentは、付きまとうだけでなく、何にでも自分が介入して子供を助けるため、外部からの批判に晒されることがよくあります。

　一方、子供の自主性を重んじ、自分の力で問題を解決させようとする子育て方法は、**Free Range Parenting**です（放し飼いで育った地鶏をFree Range Chickenと呼ぶのと同じ発想）。これに対しては、いたいけな子供がかわいそうだとか、危険に晒して無責任だという批判があり得ます。愛する子供を困難から守りたい、でも強い子供にもなってもらいたい……。親の心はLawn MowerとFree Rangeの狭間で揺れるのでしょう。

When the lawn mower parent prevents a child from experiencing
hardship, they are telling the child they are not competent or adept in
being able to critically think. (*familyeducation.com*)

■■ 訳　lawn mower parent が、子供が困難を経験するのを未然に防ぐとき、
彼らは子供に、あなたは気をつけて考える能力がない、または得意で
はないと言っているのです。

Love Bombing

愛の爆撃

Love Bombing という変な言葉。愛の爆撃？　これは、相手（通常は女性）をコントロールするために、褒めそやし、超ぜいたくなプレゼントを贈ったり、とんでもなく高い食事をご馳走したりすることです。男女関係のカウンセラーによると、こんな Love Bomber 男は、人の心を支配することを楽しむ自己陶酔性のある人か、もしくは、何事にも自信がない、自分を偉く見せようと見栄を張るタイプだとか。

　男友達が注いでくれるこんな「愛」に舞い上がって有頂天になった女性が、マインド・コントロールされていたと気づく頃には、愛はどこへやら。初めて自分の心や体がもてあそばれていたとわかります。アメリカ社会には Love Bombing の犠牲になり、場合によっては虐待を受け、金銭もむしり取られ、人生が危機的状況に陥る女性も多いと言われます。そうなる前に、良い友人や専門カウンセラーの助けを借りて、危険な関係を早く断ち切らねばなりません。

　オンライン辞書 *dictionary.com* によると、Love Bombing という表現は、1970年代にアメリカの **Unification Church**（統一教会）が甘い言葉で人に近づき新会員を募ったテクニックを、仲間内でそう呼んだことが発祥だそうです。

　人はやさしくされたら、お返ししたいとつい思うのでしょう。どんな人間でも、新たな出会いで気持ちが高ぶり心に隙ができた時、冷静

な判断ができなくなることはあり得ます。そんな時、Love Bombing か
どうかを見極められるかが本当に肝心ですね。

━━ **例文**

**What is 'Love Bombing'? Grand romantic gestures in the early days of
a relationship could be sweet - or a sign you're dating a narcissist.** (*New
York Times*)

━━ **訳**　Love Bombing とは何でしょう？　誰かに会った直後に寄せられる、す
ごくロマンチックな振る舞いは甘いかも……。でも、もしかしたらデ
ートのお相手は自己陶酔狂という兆候かも……。

Menty B
精神的不調

　ここ数年、TikTokやインスタグラム上、アメリカの若者たちの間に飛び交う言葉**Menty B**とは、**Mental Breakdown**（精神的不調）の省略語。落ち込んだり、憂鬱になったり、調子が出ない時に、"I have a little menty B."と口に出したり、SNSでつぶやくのです。

　アメリカ疾病予防管理センター（CDC）が最近発表した調査によると、若者の多くが精神的不調に陥っていると言います。日常において、悲しみ、落ち込み、絶望感を感じる若い人たちの割合は40％を超えます。この傾向は、とりわけ10代の女性に顕著だと分析されています。

　コロナ禍によるパンデミックは全ての人に辛い思いをさせましたが、特に、仲間と過ごす時間が奪われた若者たちの中に、Menty Bに陥る人が増えました。実際、SNSによって繋がっているようでも、画面上の交信だけでは、往々にして自分が取り残される不安を若者に与えるとの指摘があります。もちろん、人間関係だけではなく、身の回りで増加する犯罪、政治的に分断する社会、さらには不穏な世界情勢など、全てが若者の心を悩ませているのです。

　「私、ちょっとmenty B」という表現は、若いアメリカ人の深刻な精神状態を映しています。しかし一方で、心の不調を友人たちにさらっと打ち明けることは、自分の気持ちを立て直すきっかけとなり得るでしょう。お互いが心を開き、励まし合って、Depression（うつ状態）

や Suicidal Thoughts（自殺願望）に陥る前に、精神的不調を少しでも
乗り越えてほしいと思います。

■■■ 例文

What's a 'Menty B'? A Light Way to Talk About Heavy Moments. The cute term for 'mental breakdown' can ease discussions around mental health-or trivialize serious issues. (*Wall Street Journal*)

■ 訳 　Menty B とは何でしょう？　重苦しい瞬間を軽くいう言い方です。この「精神的不調」のキュートな表現は、精神の健康状態に関する話を気楽にできる一方、深刻な問題を些細なことにしてしまう懸念もあります。

Microaggression
無意識な差別的言動

Micro（小さな）**Aggression**（攻撃）とは、自分とは異なる人種、文化、性や性的指向、経済層などに属する相手を、無意識のうちに侮辱したり、貶_{おとし}めたりする言動のことです。

例えば、白人が黒人に対して、「君の英語の発音はすごく綺麗で、わかりやすいね」と言うような場合です。この人は相手のことを褒めているつもりかもしれません。しかし、日頃、黒人の英語は特有の訛_{なま}りがあって、わかりにくいと思っていることを暗に示すともいえ、黒人へのMicroaggressionと受け取られるのです。アジア系の人に、「西洋文化をよく理解しているね」とか「算数は得意でしょう」と言うようなことも、Microaggressionだと見なされます。東洋人に対するステレオタイプな発想だと考えられるのです。

このような言動をいちいち問題にするのは、神経質すぎるという意見もあるかもしれません。しかし、人種、格差、移民、**LGBTQ**問題などで、他者への配慮が求められるアメリカ社会において、Microaggressionという概念は、不注意な言動で相手を不快にさせないためにも有用だと考えられます。

Microaggressions - such as asking Asian Americans where they're from or repeatedly mispronouncing a person's name - make people of color permanent outsiders and create constant discomfort in offices, schools and other places where they have to be. (*The Washington Post*)

訳　Microaggressions（例えば、アジア系アメリカ人にどこの出身かと聞いたり、何度も名前を間違って発音したりすること）は、有色の人々を永遠に部外者扱いし、会社、学校その他の場所で、彼らに常に不快感を与えることになります。

Mocktail

ノンアルカクテル

Mocktail とは Mock（まがい物）と Coktail（カクテル）を組み合わせた言葉で、Non-alcoholic（ノンアル）カクテルのこと（新語かと思ったら、実は100年前からあったそうです）。今、ビールもワインもさらにはウイスキーもノンアルのものが出てきて、全米各地でMocktailを提供するバーがたくさんあります。実際、友人がマンハッタンのホテルのバーで、Mocktailを注文したので、飲ませてもらったら美味しくてびっくりしました。

アメリカにおけるノンアルの流れは、**Zero Proof Movement**（アルコール強度ゼロ運動）という形で広まりつつあります。ギャラップ調査によると、35歳未満の層の40％弱はほとんど飲酒をしないということです。心身の健康のため、仲間と飲み合いながらも頭をシャープに保つため、良い睡眠を得るため、メタボ対策として……。特に若い人の間では、Mocktailという選択肢が大事になってきたようです。

Mocktailが伸びている背景には、飲酒における健康上のリスクがここ数年頻繁に報道されていることがあるでしょう（日本でも、厚生労働省が飲酒のリスクをまとめた初のガイドラインを発表しましたね）。

筆者が長く信じてきた「赤ワインは心臓の健康に良い」という説にも、残念ながら大きな疑問符がつけられました。友人の医師（酒好きです）に相談すると、「時々のワイン１、２杯はOK」というので、こ

れを信じながらも、たまには Mocktail を試そうと考えています。

■■■ 例文

Restaurants and bars are offering more mocktails on their menus. Even brands like Guinness and White Claw are adding non-alcoholic options to their lineups.*(npr.org)*

■■■ 訳　レストランやバーはメニューにもっと多く **mocktails** を載せています。ギネスやホワイト・クローといったブランドでさえ、その商品ラインアップにノンアルの選択肢を追加しています。

Nepo Baby
親の名声の下、成功する子供

　最近よく聞く言葉、**Nepo Baby**。Nepo は **Nepotism** の省略形で、社会的に影響力のある人が家族にいるために、身内びいきすることを意味します。つまり、Nepo Baby とは親の名声やコネの下、成功する子供たちのことです（**Celebrity Child** という言葉もあります）。ハリウッドにも日本の芸能界にも、たくさんの Nepo Baby がいます。メリル・ストリープの娘、ルイーザ・ジェイコブソンや、森山良子の息子、森山直太朗をさっと思い浮かべましたが、その例はキリがありません。

　普通の人から見れば、親の七光りのおかげで成功するのは不公平に感じられるかもしれません。実力主義（**Meritocracy**）を否定しかねないものだからです。もっとも、Nepo Baby ということで、逆に警戒されることもあるようで、成功するには人の何倍もの努力が必要という指摘もあります。いずれにせよ、有名な親の子供が注目を浴びるという現実は変わりません。アメリカでも日本でも、業界もファンも Nepo Baby を話題にして盛り上がります。

　政治の世界でもブッシュ親子が大統領になったり、ケネディ家の子孫が政治家になったりしたことを Nepo Baby と表現する人もいます。それなら、日本の政治においても、昔から Nepo Baby はたくさん存在しています。最近、総理大臣の息子が秘書官として選ばれた件は、本人がしっかりしていないと結局は成功しないことを明らかにしました

ね。Nepo Babyという表現は、良くも悪くも興味深い話題を我々に提供してくれることでしょう。

━━ 例文

Celebrity children gained a new nickname in 2022 - Nepo Baby. The term stands for a person who has benefited from nepotism; in other words, those who have "made it" in their career from their parents' fame. (*https://www.the-sun.com/*)

■ 訳　セレブの子供たちは2022年に新しいあだ名を手にした ── **Nepo Baby**。この言葉は、nepotism（身内びいき）のおかげで得をした人物という意味です。言い換えれば、両親の名声によって自分のキャリアを「達成」した人たちのことです。

Passive-aggressive
遠回しに批判的な

　レストランの前に駐車して帰ってきたら、**Passive-aggressive** Noteという紙切れがワイパーに挟んであり、「次は、神様のお恵みで、もっと上手に駐車できますよ！」と書かれていました。たしかに車は少し斜めに入っていたけれど……。親しいアメリカ人の女性に、「その服、ふっくらして可愛いね」と言ったら、ちょっと睨まれて「Passive-aggressiveね」と言われました。本当に可愛いと思ってのことで、他の意図はなかったのですが……。

　Passive-aggressiveは、医学的には受動攻撃的精神障害ということですが、アメリカの日常会話では、このように遠回しに批判（または要求・攻撃）する態度を意味します。

　日本に長く住んだアメリカ人の知人は、日本人もけっこうPassive-aggressiveだと言います。会社の食事会にラフな格好で参加したら、微妙な目つきで「アメリカは多様性の国でいいですね！」。役所の外国人登録にヘタな漢字を書いたら、首をかしげて「とっても個性的！」。

　Passive-aggressiveな表現はどの国にもあるのでしょう。しかし、表の言い回しと裏の真意が違うのは、誤解を生むもとですね。とりわけ、文化的背景が違う方とのお話には、ご注意を。

Express yourself the thinly veiled way! This passive-aggressive memo pad lets you clearly but (somewhat) **subtly address a range of behavioral failures in others including poor attitude and lackluster hygiene.** (*cratestart.com*)

訳　自分の考えを、上手にあからさまでなく表現しましょう！　この **passive-aggressive** メモ用紙を使えば、他人の失礼な態度とか不衛生行為など各種の問題行動を、明確かつ（ちょっぴり）微妙に指摘することができるのです。

Porch Pirate

配送品泥棒

　オンラインの買い物は、いつでもどこでもできるので便利です。ところが、アメリカでは、各地で配送された品物が玄関先で盗まれる事件が頻発しています。そんな泥棒を **Porch Pirate** と呼びます。Porch は玄関、Pirate は海賊です。海賊とは大げさですが、他人の著作権を侵害・横取りする海賊版（英語では **Pirated Edition**）と同様の発想なのでしょう。

　ある調査では、この種の窃盗が特に多いのは、ノース・ダコタ州、バーモント州、アラスカ州だそうです。隣の家が見えないような広大な敷地の軒先では、物盗りは容易です。もっともニューヨークやサンフランシスコの密集した地区でも、巧妙な Pirate が暗躍しているようで、アマゾンの配送車のあとをつけて、アパートの入り口に荷物が降ろされると同時に、持ち去る輩もいます。

　Porch Pirate に対抗するため、勤務先で受け取ったり、隣人に依頼したりするなど工夫がなされていますが、最新の方法は、アマゾンが勧めている遠隔アクセスできる車のトランク内に配達してもらう方法（**In-car Delivery Service**）です。これは相当人気があるようです。でも、配送品を車ごと持っていかれたらもっと困ります。

■■■ 例文

Porch Pirates will soon be cruising Bay Area neighborhoods, searching for packages containing holiday gifts left unattended to steal from your front door steps. (*sanfrancisco.cbslocal.com/*)

■■■ 訳　Porch Pirates は間もなく、人々の家の玄関先から盗むべく、不注意に放置されている祝日の贈り物の入った包みを物色しながら、ベイエリア近隣を駆けめぐるでしょう。

Quiet Luxury
目立たないけれど良質のファッション

　今、アメリカの服飾業界は、**Quiet Luxury**の話題で持ちきりです。Quiet Luxury（静かなぜいたく）とは、目立たないけれど良質のファッションという意味で、ブランドを強調する派手なファッション（**Loud Luxury**とも称されます）と対峙するものです。

　Quiet Luxuryは、刺激的な配色を抑え、すっきりとしたデザインで、生地そのものと仕立ての良さを特徴とします。つまり、有名ブランドの知名度に頼る戦略ではなく、伝統的なシックさと品質、そんな装いに戻ろうとする動きのようです。

　Quiet Luxuryの高まりの裏には、コロナ禍によるパンデミック後の人々の考え方の変化があります。派手なブランド物を着て人の目を引くことより、見た目は地味であっても、丁寧に作られた着やすいものに予算を使おうという人が増えているのです。

　流行を追うだけの安作りの服（**Fast Fashion**と呼ばれます）が売れ残って大量に廃棄されるのとは異なり、一時的な流行りに流されないQuiet Luxuryの服は、長い年月にわたって着続けることができます。Quiet Luxuryは単に服飾のトレンドだけでなく、環境を重視するアメリカの消費者の価値観の変化を反映しているのです。

例文

At its core, quiet luxury celebrates the power of subtlety and the beauty of restraint. Instead of projecting wealth, quiet luxury creates a wardrobe full of high-end everyday staples that speak to a more sophisticated understanding of style. (*thedrum.com*)

■ 訳　その本質において、**quiet luxury**は繊細さの力と慎みの美を大事にします。**quiet luxury**は、裕福さを見せるのでなく、より洗練されたスタイル感のある高級な日常の服で洋服棚をいっぱいにするのです。

Romance Scam

ロマンス詐欺

　アメリカでは、ここ数年、**Romance Scam**（ネットで知り合い、恋人であるかのような気持ちにさせ、お金をだまし取る詐欺）が急増しています。Scammer（詐欺師）の典型的な手口は、オンラインのデート・サイトで、寂しそうな高齢者にアプローチした後、メールや電話で個人的に親しくなり、最後に同情を誘ったり、甘い言葉を投げかけたりして、お金を送ってほしいと言うのです。「まず会ってから」というリクエストには、いろいろな口実を使って上手に逃げるのが常套手段です。

　FTC（連邦取引委員会）によると、毎年Romance Scamで数億ドルを超える被害が発生しているようです。被害者の多くは自分のしたことを恥じて警察に連絡しないので、実際の被害額は遥かに大きいに違いありません。ネットで知り合った恋人にだまされたとは、さすがに家族にも打ち明けられないのでしょう。

　高齢者を狙うScamには、日本と同様の「オレオレ詐欺」（**Grandparent Scam**）、移民局や警察などの公的機関の職員をかたる「なりすまし詐欺」（**Imposter Scam**）などがありますが、このRomance Scamは他のどの種類の詐欺よりも悪質です。お金を失うだけではなく、被害者は「恋人」に裏切られたショックで、精神的にうちのめされ、あげくに自殺を図る人が後を絶たないと報道されています。

Pandemic loneliness pushed many Americans online in search of a love connection. But a surge in romance scams often left them with an empty bank account as well as a broken heart. (*The Washington Post*)

訳 パンデミックによる寂しさのため、多くのアメリカ人はオンラインで恋人を探すことになりました。しかし、**romance scams** の激増の結果、彼らには大抵、うちのめされた心だけではなく、空っぽの銀行口座だけが残されてしまいました。

Sharenting
我が子のことをSNSに熱心に投稿すること

　FacebookなどのSNS上に、自分の子供の写真などを熱心に載せる人がいます。そんな行為を指して**Sharenting**という言葉が使われます。Share（またはOvershare）とParenting（子育て）を合成した言葉で、論議の対象になっています。

　批判的な論者は、このような親（Sharentと呼ばれます）が子供の成長を喜び、写真などを友人たちと共有したい気持ちを理解しながらも、Sharentingは子供を危険に晒すかもしれない行為だと警鐘を鳴らします。現実に、子供の画像が盗用されたり、中には**Pedophile**（小児愛症者）の興味の対象になったりしている例があるそうです。

　乳幼児の時はともかく、大きくなるにつれ、親の投稿を知り当惑する子供もいるでしょう。一度載せられた情報は、ほぼ永久的にネット上に残る可能性がありますから、プライバシーの観点からも問題になり得ます。

　SNS各社は、プライバシー保護に重点を置く仕組みをつくっていると述べますが、利用する我々の側も、家族や友人の個人情報には十分な気遣いが必要と思われます。

■■ 例文

Sharenting, a term to describe parents who actively share their kids' digital identities online, is rampant in the United States, with 92 percent of toddlers under the age of 2 already having their own unique digital identity. *(thedailybeast.com)*

■■ 訳　Sharenting（ネット上に自分の子供のデジタルな画像を熱心に投稿する親の行為を描写する言葉）が、アメリカで大流行りです。2歳以下の幼児の92％について、彼ら自身のデジタル画像が、すでに掲載されています。

Side Hustle
やりがいも求めて、自分でがんばる副業

Side Hustle という言葉は、もともと副業という意味で使われてきましたが、今のミレニアル世代は、単にお金を稼ぐだけでなく、自分がやりたい、そして、あわよくば起業にも繋がるようなサイド・ビジネスという意味で使っています。自分で仕事を管理するという点で、パートタイムとして雇われるのとは別物と彼らは主張します。

アメリカ社会に **Gig Economy**（個人が自分の技術をネットで切り売りする労働形態）が広がっていることが、若者たちのSide Hustleを後押ししています。**Day Job**（定職）を持ちながらも、余った時間を利用して自分の能力（IT、会計、翻訳、コーチングなどの専門的なものを含む）を試したい人が多いのです。Side Hustleの広がりに、若者たちが人に使われるよりもアントレプレナー（起業家）的な仕事をしたいという意識があることが見えてきます。

リーマン・ショック以降、多くのアメリカの若者たちは、伝統的な雇用を確保することの難しさを実感してきました。Side Hustleは、その中で、彼らが生み出した仕事への新しいアプローチと言えるのではないでしょうか。

■■■ 例文

You might take up a side hustle for a number of reasons. Firstly, it pro-
vides extra income on top of your main job. Secondly, it allows you to
pursue a passion that you don't get to explore much in your main job.

(*thebalancecareers.com*)

■ 訳　side hustle をやるのには、いくつかの理由があるでしょう。第一に、
本業に加えて余分に収入を得られます。第二に、本業ではなかなか試
すことができない情熱を追求することができるのです。

Situationship
とりあえずの男女交際

　最近ネット上で、**Situationship** という言葉をよく目にします。アメリカの若者たちが使うこのスラングは、親しく付き合ってはいるものの将来への約束はしていないという、男女のとりあえずの関係を意味します。

　Relationship（人間関係）ではなく、**Situation**（その時々の状況）に任せる関係だというニュアンスです。結婚のことなどは考えず、その時々の交際を楽しむことは、若い世代の新しいやり方かもしれません。

　もっとも、自分は真剣な交際を求めているのに、相手との関係がSituationship に入ったようで、どうしてよいかわからないという人生相談もよくあります。結婚を望んでいる相談者に対してカウンセラーは、「Situationship から抜け出したいのなら、相手にはっきりと恋愛、仕事、家族、人生観などを尋ねて、交際を続けるかどうかを決断しなさい」とアドバイスしています。

　カウンセラーはこうも言っています。「タフな質問をして拒絶されることを恐れていては、何も解決しません！」と。本当のところ、もしSituationship を Relationship にしたいなら、一番大事なことは、勇気を出してお互いに心から誠実なコミュニケーションをとることなのでしょうね。最近の日本の若者はどうでしょうか……。とても気になるところです。

■ 例文

"A situationship is a romantic arrangement that exists before/without a DTR ['defining the relationship'] conversation," says Los Angeles-based Saba Harouni Lurie, LMFT. (*https://www.womenshealthmag.com/*)

■ 訳　「situationships とは、DTR（関係をキッチリさせる）会話を持つまでの、またはこの会話を全く持たない二人の間のロマンチックな関係のことです」とロサンゼルス在住の*LMFT**、サバ・ハルーニ・ルーリー氏は言います。

*LMFT は *Licensed Marriage and Family Therapist*、つまり公認の結婚・家族セラピストです。

Sleep Divorce
夫婦別寝

　テレビで見るアメリカの円満な夫婦のイメージは、大きなベッドに仲良く並んで寝るシーンですが、実際には約3分の1の夫婦が、いつもまたは時々、別々の部屋で寝るそうです。2023年、この現象が**Sleep Divorce**（直訳すると就寝離婚）として多くの記事に取り上げられました。大丈夫、本当の離婚ではありません。これは、別々に寝ることで質の高い睡眠を得ようとする試みです。実際、いびきをかいたり、悪い寝相でパートナーの眠りを妨げることはよくあるでしょう。

　アメリカ睡眠医療学会の調査によると、ミレニアル世代などの多くがSleep Divorceを受け入れる一方、年配の世代はためらう傾向があるとのことです。伝統的には、夫婦はベッドを共有するものなので、年配世代は別寝で関係の終了を心配するのかもしれません。

　睡眠専門家のアドバイスによると、Sleep Divorceを始めるにあたり、2人が好きな音楽を聴いたり、寝る前に一緒に楽しい時間をもったりするのが大切とのこと。寝具、寝室の環境、飲食のタイミングなど全てを考慮して、ベストな睡眠を得る努力を**Sleep Hygiene**と呼びますが、2人で丁寧に話し合ってSleep Divorceを実行するのは、体と精神の健康のためにとても良いことだそうです。

nonki 2023

■ 例文

The practice of sleeping separately known as a "sleep divorce," and is meant to help you fall asleep and stay asleep without disruptions such as snoring, stolen covers or early alarms. (*cbsnews.com*)

■ 訳　別部屋で離れて寝るということは、sleep divorce とも言われます。これはイビキ、掛け布団が取られる、または目覚まし時計が早く鳴るなどの邪魔を防いで、寝つきを良くし、かつ継続した睡眠を確保することを意図しています。

■ 例文

The group's survey of 2,005 adults in the U.S. found that 43% of millennials engage in sleep divorce, followed by 33% of those in Generation X, 28% of those in Generation Z and 22% of baby boomers. (*American Academy of Sleep Medicine*)

■ 訳　アメリカの成人2,005人を対象とした調査により、ミレニアル世代の43％、ついで、X世代の33％、Z世代の28％、そしてベビー・ブーマー世代の22％が **sleep divorce** を実行していることが判明しました。

63

Sober Curious

お酒は控えめにしようかな

　アメリカでは、若者たちの飲酒が減ってきていると報道されています。それを反映する言葉が**Sober Curious**です。Soberとは素面、Curiousは興味あり、つまりは飲酒を控えて、体、頭、そして人間関係を見直すことです。お酒の力を借りず楽しく過ごし、減酒して体を強く、頭をシャープにしようと考える若者が増えつつあるのです。Sober Curiousは、必ずしも**Sobriety**（禁酒）をめざすのではなく、減酒のメリットを意識しているそうです。

「酒は百薬の長」という昔からの希望的な見解に対して、本当は少量でも体に悪いという研究が最近発表されました。このような背景の下、**Non-Alcoholic Beverage**（アルコール抜きの飲み物）の消費量が大きく増えています。マンハッタンのおしゃれなバーで、Non-Alcoholic Beverageのサンプルを見ました。カクテルグラスに入れられた液体は、多彩な色と泡で美しく輝いています。

　アメリカでは、「付き合いにお酒」というプレッシャーはあまりありませんから、人のことを気にする必要はありません。日本では、仲間や会社の人との人間関係にお酒は重要な役割を果たすので、お酒なしの付き合いはそう簡単ではないかもしれませんね。

　実は、筆者は友人たちとワインを飲むのが大好きで、この話題には多少の戸惑いを感じています。それでも、Sober Curiousという言葉に

合わせて、健康のためお酒は控えめにしようかな……、と考えているところです。

■ 例文

Sober curious is a lifestyle of limiting or eliminating alcohol from a diet. This movement started around 2010 in the millennial generation as a way to improve mental and physical health. (*healthnews.com*)

■ 訳　Sober curious は、食事でアルコールを制限または排除するというライフスタイルのことです。この運動は2010年頃、ミレニアル世代が精神的そして身体的な健康を改善する道筋として始まりました。

Twisties
（演技中の）心と体の不一致

　2021年の東京オリンピックで、アメリカは多くのメダルを獲得し国民の期待に応えました。しかし、オリンピック中継において一番の話題になったのは、アメリカ体操界の超スター、シモーネ・バイルス選手と彼女が発した**Twisties**という言葉です。

　バイルス選手は、心の不調を訴えて団体戦の大部分と個人総合を欠場しました。多くのプレッシャーと戦う中でのTwistiesをその理由に挙げました。これは、心（Mind）と体（Body）が同調せず、うまく演技できないことですが、ゴルフやその他のスポーツのイップス（**Yips**）に相当するでしょう。

　期待を裏切ったとして、彼女の心が弱かったと非難した人たちもいます。しかし多くの人々は、どんな偉大なスポーツ選手も人間だと彼女を応援し、それが最後の平均台での銅メダルに繋がりました。

　テニスの大坂なおみ選手が2021年の全仏オープンを途中退場した時も、彼女は精神的な原因を述べました。彼女にとってのTwistiesだったのかもしれません。これからもTwistiesは、我々にアスリートを人間として見る視点を与えるものとなるでしょう。

■ 例文

When gymnasts have the "twisties," they lose control of their bodies as they spin through the air. (*The Washington Post*)

■ 訳　体操選手が "twisties" に陥ると、空中で旋回する時に自分の体のコントロールを失ってしまいます。

chapter 2

社会
多様性の国の多様な問題

多民族国家アメリカが抱える
人種、環境、ジェンダーといった
社会問題を見ていきます。

Amber Alert / Ebony Alert

危機に面する子供を救う緊急警報

アメリカには、子供が誘拐などで危険に直面した場合、報道機関などを使い、その子の発見・救助を促す**Amber Alert**という警報システムがあります。ラジオのニュースや道路上の掲示板などで、子供の特徴や関連する車の型や色などをAmber Alertとして急告します。Amberとは琥珀（色）ですが、これは30年前、テキサス州で自転車で遊んでいる時に誘拐され、殺された少女の名前から付けられました。AmberはAmerica's Missing: Broadcast Emergency Response（米行方不明者・放送緊急対応）の頭文字でもあります。

2024年から、カリフォルニア州で**Ebony Alert**が導入されることになりました。Ebonyとは深い光沢のある黒檀のことで、黒人の少年少女のため、Amber Alertと同様の警報を発する仕組みです。アメリカにおいては行方不明になる子供が毎年何万人もいます。その捜索において、白人の子供たちが見つかる事例に比べ、黒人の子供が見つかる事例は少ないのです。一つには、黒人の子供の場合、十分な調査もなく**Runaway**（家出）と見なされて、捜索が打ち切られるためだと言われます。また、行方不明の白人については広くメディアで報道されるのに比べ、黒人に関しては注目がされないという現象（**White Persons Missing Syndrome**）を指摘する声もあります。

Ebony Alertの導入を通じて、カリフォルニア州は黒人の人権・安全

が、現実として軽く扱われていることを訴えています。同様の問題は、中南米系、アジア系、そして先住民の子供にもあるのです。Amber Alert はアメリカで多くの子供たちが事件に巻き込まれ危機に直面すること、そして Ebony Alert は非白人の場合はその発見・救助により多大な困難を伴うことを象徴するキーワードだと言えるでしょう。

▰▰ 例文

The alert system is similar to the Amber Alert. The California Highway Patrol may use highway signs and encourage news outlets to disseminate information from the Ebony Alert, the law says. *(CNN)*

■ 訳　この警報システムは**Amber Alert**と同様です。その法律に基づき、カリフォルニア交通パトロール隊は、**Ebony Alert**の情報を拡散するため、主要道路の掲示板を使ったり、報道機関に促したりすることができるのです。

Anti-vaxxer
ワクチン反対論者

　コロナ禍によるパンデミックは、開発されたmRNAワクチンのおかげで収束しました。しかし、ワクチンの接種には、断固として反対した**Anti-vaxxer**と言われる人たちがいて、アメリカ政府はその対応に苦労しました。

　Anti-vaxxerとは、**Vaccination**（ワクチン接種）を拒否する人たちを意味する口語です。彼らは体に異物を入れるのは不安だとか、副作用についての製薬会社の説明は信用できないとか、または宗教的な信条その他で、自分や子供の予防接種を拒否します。

　数年前、風疹ワクチンが**Autism**（自閉症）を引き起こすという説を信じて接種を拒む人たちのことが大きな話題になりました。この説は科学的に否定されましたが、実際には今なお信じる人がたくさんいると言われています。

　インターネット上で展開されるワクチン反対論者の言説には、独断かつ独りよがりなものが目立ちます。これに対しアメリカの主要メディアは、非科学的な説を否定し、ワクチンは自分を守るだけでなく、家族、同僚、そして社会を守るために必要であると繰り返し説明しています。

例文

Anti-vaxxers are people who believe that vaccines are unsafe and infringe on their human rights. They typically deny the existence or validity of the science supporting their use in the general population.
(*Medical News Today*)

訳 **Anti-vaxxers** とは、ワクチンは安全でなく彼らの人権を否定するものと信じる人のことです。典型的に、彼らは一般人口におけるワクチンの使用を後押しする科学の存在、またはその有効性を否定するのです。

Bomb Cyclone
爆弾低気圧

　ここ数年、ニューヨークを含むアメリカ北東部は、よく早春の嵐に襲われます。**Bomb Cyclone**（爆弾低気圧）と呼ばれる現象です。交通が遮断され、各地で停電が起こり、航空便のキャンセルが多発する大変な事態となります。

　夏から秋口にかけて発生する嵐は熱帯で発生するもので、アメリカではハリケーン、日本では台風と呼ばれます。これに対して冬から春先にかけての嵐は温帯性で、暖気が寒気にぶつかる前線によって発生し、アメリカ東海岸では **Nor'easter**（ノーイースター）と呼び習わしています。北東からの強風Northeasterが短縮されてNor'easterと言うのです。

　Bomb Cycloneはその Nor'easter の中でも、気圧が短時間で急激に低下し、風や雨雪をブリザードのようにもたらす現象です。

　日本の気象庁は爆弾という言葉を嫌って、日本での同様の現象を「急速に発達する低気圧」などと呼んでいますが、最近のアメリカ北東部の甚大な被害状況を見ると、爆弾低気圧と呼ぶのは的確な表現だと思われます。

■■ 例文

What defines a bomb cyclone is how rapidly the pressure drops in the
low-pressure mass - by at least 24 millibars in 24 hours. (*New York Times*)

■ 訳　Bomb Cyclone を決定づけるのは、いかに急速に気圧が低気圧層におい
て下降するかです。それは24時間内に少なくとも24ミリバールです。

Brain Fog
（コロナによる）脳神経後遺症

　コロナ禍によるパンデミックは収束してきましたが、感染者の数は依然として多く、回復後も長く続くコロナ後遺症（**Long Covid**）で苦しむ人（**Long-Hauler**）が大勢いることが明らかになり、米国各地の医療機関が対応を迫られています。

　後遺症にかかった人の約3割に、神経・精神面での障害があるようで、その中でも、**Brain Fog**が大きな問題になっています。これは文字通り、頭に霧がかかったように思考・記憶力が落ちることで、体力が回復しても、仕事や生活に何カ月も悪影響を及ぼすのです。コロナのBrain Fogは、感染による脳炎、脳内出血、酸素欠乏が原因と考えられていますが、重症患者のみならず、軽度の患者にも起きることがわかってきました。

　このBrain Fogに対しては、投薬療法に加えて運動や音楽療法、禁酒を含む食事の改善などが試みられています。また、ワクチン接種自体に治療効果があるとも言われますが、まだはっきりしていません。Brain Fogを含め、広範にわたるコロナ後遺症について、医学が根本原因を突き止め、早急に治療法を確立することが期待されています。

例文

Lingering "brain fog" is one neurological symptom that people with COVID-19 commonly report. In some cases, brain fog, or cognitive impairment, can last many months after the disease has passed. *(healthline.com)*

訳　長引く "**brain fog**" は、新型コロナにかかった人がよく経験する神経症状です。場合によっては、**brain fog**、つまり知覚障害は、病気の治癒後何ヵ月も続くことがあります。

Carbon Footprint
CO₂排出量

Carbon Footprint という言葉は、地球温暖化の原因たる二酸化炭素（Carbon Dioxide、CO₂）の Footprint（足跡・範囲）、つまり人間の活動による排出量という意味です。

二酸化炭素は、石炭、石油、天然ガスなどの化石燃料（**Fossil Fuels**）を燃やすことで生じます。

個人の Carbon Footprint を小さくするために、燃費の良い車に乗り換えたり、節電したり、ゴミを減らす努力をする人がたくさんいます。飛行機が飛ぶためには大量の化石燃料を消費するとして、空の旅を避ける人もいるそうです。

地球温暖化は人為的な温室効果ガス（**Greenhouse Gas**）、とりわけCO₂が空中に放出されることから起きているとするのが世界の科学者の常識です。それに基づき、Carbon Footprint をできるだけ抑えようという国際的な試みがパリ協定です。トランプ前大統領は、この協定からの脱退を決め世界に衝撃を与えましたが、バイデン大統領は復帰を決めました。

アメリカの州や市のレベルで、また大企業の間でも、温暖化対策に真剣に取り組むところが多々あります。それに加えて、一般市民までも、Carbon Footprint（もともとは、工場操業、商品生産、サービス提供などから生じる温室効果ガスを含めたCO₂換算排出量という概念）

を念頭に、個人の生活の中で、CO₂排出量を減らそうとしていること
自体、画期的だと言えるでしょう。

▨▨ 例文

A carbon footprint is the total amount of greenhouse gas emissions
that are released as a result of our individual actions. It measures the
total volume of a number of greenhouse gases but is usually expressed
in terms of the carbon dioxide equivalent. (*goodenergy.co.uk*)

◼ 訳　carbon footprint とは、私たちの個人的活動の結果生まれる温室効果ガ
ス排出量の総量のことです。そのため、グリーンハウスの数字の総量
を測り、通常は二酸化炭素相当の数字で表現します。

Critical Race Theory
歴史的枠組みに基づく批判的人種論

　分断されたアメリカ社会に繰り広げられる進歩派と保守派の間の Culture War（文化戦争）において、象徴的な意味を持つ言葉が **Critical Race Theory**（略して **CRT**、批判的人種論）です。CRTは、1970年代に端を発する論考で、今なお続く白人による黒人への差別は個人的な偏見からくるというより、歴史的な社会構造・枠組みの所産であるとする考えを強調します。

　これを受けて民主党を中心とする進歩派は、奴隷制の始まりや展開、解放後の黒人に対する差別的な制度などの歴史的事実を、アメリカ史の負の側面として子供たちに正確に教えることが重要と考えます。一方、共和党を代表する保守派の論客は、そのようなCRTは歴史を不当に扱うものであり、子供たち（特に白人の）に不快な感情を抱かせるだけでなく、人種間の対立を煽るプロパガンダだと主張します。その主張は白人の親たちに支持され、南部を中心にいくつかの州では、CRTやそれに準拠する授業を禁止する法律を成立させました。

　このCRTについての教育論争が、民主党と共和党の熾烈な政治の戦いに持ち込まれてきました。今、Critical Race Theoryはアメリカの分断を理解するためのキーワードの一つです。

例文

"Critical race theory," a once-obscure academic concept, has become a fixture in the fierce U.S. debate over how to teach children about the country's history and race relations. *(Reuters)*

訳 以前は曖昧な学問上のコンセプトだった **Critical race theory** は、今では、子供たちに国の歴史と人種関係をどのように教えるかというアメリカの熾烈な論争において、必ず持ち出される議題となりました。

Doxx
個人情報をインターネット上に晒す

　攻撃したい相手の個人情報をインターネット上に晒すことを **Doxx** と言います。もともとは個人情報の詰まった書類（Documents）を公開することから、DocumentsがDocs、そしてDoxxに変化したそうです。

　ある大学のキャンパスで、ガザ地域におけるイスラエルの攻撃を非難する文書が出ました。即刻、それを書いた学生の名前や個人情報がネットに晒されてしまいました。元の文書には書いた人たちの名前はなかったのですが、彼らを害する目的で、誰かがDoxxingをしたのです。

　Doxxingが思わぬ結果を招くこともあります。*The New York Times*は、ブルックリンの人気カフェから突然客足が途絶えた事件を報道しました。そのオーナーの親戚が極端な反イスラムメッセージを*X*（旧*Twitter*）に投稿していることが暴露され、同じ苗字の付いたカフェが一般客からボイコットされてしまったのです。

　誰もが意見を発信できるネット社会は、これからも広がり続けるでしょう。しかし、そこには、Doxxという言葉が示す、自分の個人情報が他人により暴露される可能性があることを我々は知る必要があるのです。

■■■ 例文

While the responsibility to prevent doxxing rests with those who would violate another's privacy, and not with the victim, it is useful to take some preventative steps to protect yourself online. *(CNN)*

■■■ 訳　doxxing を防止する責任は、他人のプライバシーを侵害する人にあり、被害者のほうにはないのですが、自分を守るための各種の防止策をオンライン上で講ずることは役に立ちます。

Existential
人間の存亡に関わる

Existential はもともと「実存の」という意味で、フランスの思想家サルトルの哲学は Existentialism（実存主義）と呼ばれました。

しかし、最近目にする Existential Risk や、Existential Threat では、この言葉は「人間または世界の存亡に関わる」危険や脅威という意味で使われています。自然災害、地震・津波などのリスク、人間の所業に由来する環境問題、AI 進化がもたらす人間の未来、国際協調の欠落と軍備拡大……。これらは全て Existential（人類の存在自体に関わる）ではないかという疑念が、人々の頭をよぎるのです。

とりわけ、スウェーデンの若い環境活動家グレタ・トゥーンベリ氏が、気候変動を Existential Crisis（人類存亡の危機）と呼び、世界の多くの若者に行動を呼びかけたことが、地球温暖化に対抗する大きなうねりをつくり出したことは記憶に残っています。

今、人類が地球温暖化、環境汚染そして現実の戦争のリスクに向き合う中で、Existential という言葉は、地球そして人類のもろい現実を思い起こさせていくことでしょう。

■■■ 例文

Teenage climate change activist Greta Thunberg has said that climate change is an "existential crisis" and has urged politicians to "listen to the scientists". *(BBC)*

■■ 訳　10代の気候変動活動家グレタ・トゥーンベリは、気候変動は Existential Crisis（人類存亡の危機）だと言明し、政治家たちに科学者の言うことを注意深く聴くよう強く迫りました。

Fat Tax

肥満税

公的な調査によると、アメリカ成人の30％以上が肥満だそうです。肥満は医療費の増加にも繋がるので、対策として糖分の多い食品や飲み物に **Fat Tax**（肥満税）を導入するという考えがあります。その中でも、コーラなどの清涼飲料にかける税は **Soda Tax** と言われ、フィラデルフィアやサンフランシスコなどいくつかの市が導入しています。

同様に肥満率が高いと言われるメキシコで、数年前、Fat Tax が導入されました。その結果、清涼飲料の消費量が８％近く減ったそうで、成果を挙げています。またイギリスでもソフトドリンクに **Sugar Tax**（砂糖税）という Fat Tax をかけ始めました。しかし、アメリカの飲料業界は Fat Tax そのものに強く反対しており、市民の間でも、Fat Tax は現実に甘い清涼飲料を多く消費する低所得者層の家計を圧迫するものという批判があります。

イギリスで、ある服飾店チェーンが、同じデザインでも体の大きい婦人用の服に高い値付けをしていることが大きく報じられました。これは、太めの人への事実上の Fat Tax だとして、プラス・サイズの人々の反発を招いているようです。この種の Fat Tax が、アメリカでも導入されるのでしょうか。個人の嗜好や体に関するデリケートな事柄を含む Fat Tax をめぐる論議は、今後も続きそうです。

■■■■ 例文

In order to reduce obesity rates, a fat tax can be implemented to increase the cost of unhealthy foods. (*due.com*)

■■ 訳　肥満率を下げる目的で、非健康的な食品の値段を上げるため、**fat tax** を課すことが可能です。

Fentanyl Overdose

フェンタニル過剰摂取

　アメリカにおける麻薬問題は深刻で、とりわけ **Fentanyl** という物質が注目されています。これは、中国産の原料を用いメキシコで安価に合成されるオピオイド（アヘンに類似した物質）で、**Opium**（アヘン）の50倍も強力と言われます。使い方を誤ると微量でも死に至る危険な物質で、アメリカ政府の発表によると、フェンタニルを中心とする薬物の **Overdose**（過剰摂取）で亡くなった人は、2023年には11万人を超えました。これはアメリカ中において交通事故や銃で亡くなる人よりもずっと多いのです。

　フェンタニルにはがんなどによる体の痛みを軽減する効果があります。しかし実際には、非合法な麻薬カルテルが正規の処方薬に似せてアメリカに持ち込んだり、白色のフェンタニルをコカインなどの麻薬に混入させたりしており、それによる死亡が多発しています。悪質な製薬会社が医者と共謀して違法な処方箋を出させた事件も発覚し、会社の幹部や医者が逮捕されたこともあります。

　また、陶酔状態を経験したい若者や子供をターゲットにした虹色に着色した **Rainbow Fentanyl** が出回り始め、麻薬取締局は警戒を強めています。

　フェンタニルの過剰摂取が大問題となっているロサンゼルスなどでは、対策として地元の学校に **Naloxone** という解毒剤を常備し始めたと

報道されています。アメリカにおける薬物の過剰摂取は、日本からは想像できない大きな社会問題となっています。

例文

Fentanyl is a very powerful opioid - much stronger than heroin or morphine. Even small amounts can lead to deadly overdoses.Signs of a fentanyl overdose include slow or shallow breathing, pale skin, slow pulse, and loss of consciousness. Fentanyl overdoses can quickly lead to cardiac arrest and death. (*https://www.goodrx.com/*)

訳

フェンタニルは非常に強力なオピオイドです。ヘロインやモルヒネよりも非常に強いです。少量であっても死に至る過剰摂取になり得ます。**fentanyl overdose** の兆候は、遅く浅い呼吸、青ざめた肌、低脈拍数そして意識喪失など。**fentanyl overdoses** は、あっという間に心停止、そして死を導きかねません。

Flash Mob Robbery

突発的集団強盗

　カリフォルニア州などを中心に大きな問題となっているのが、**Flash Mob Robbery**という新手の集団強盗です。集団強盗は組織的かつ計画的にやるものだと思われがちですが、Flash Mob Robberyでは、SNSを介して突発的に強盗団が結成されます（もともとFlash Mobとは、一団の人々が町のどこかに一斉に集まって、まわりを驚かすダンスなどのパフォーマンスをすることです）。

　その手口は、集団で一斉に宝飾店や高級服飾店、デパートに押し入り、棚を打ち壊し、瞬く間に商品をかっさらうもので、**Smash-and-Grab**と呼ばれます。サンフランシスコ、ロサンゼルスなど各地で被害が広がっています。

　全米における多くの都市で犯罪が増加する一方で、予算削減の中で警察による十分な保安体制が敷かれてないという現実がFlash Mob Robberyを引き起こすと言われます。小売業界からは、集団強盗についての重罰化、ネット上での盗品の販売規制などを求める声が上がっていますが、有効な対策は簡単には出てきそうにありません。オンライン・ショップとの戦いで必死に生き残ろうとする実店舗（**Brick-and-Mortar Store**）が、新たな困難に直面するのは残念なことです。

例文

There are fears that the recent wave of flash mob robberies, which have been occurring across California in recent days, will spread across the country. (*Newsweek.com*)

訳 最近見られる **flash mob robberies** の増加、それはここ数日間にカリフォルニアの各地で起きていますが、全国に拡大するだろうと心配されています。

Flip
自己保身のため、仲間を売る

Flipは「指先ではじく」という意味ですが、刑事事件においては、「自分を守るために仲間を裏切る証言をする（または、証言させる）」ことです。

ニューヨーク検察は、トランプ・オーガニゼーションとその最高財務責任者のアレン・ワイセルバーグ氏を、脱税などの容疑で訴追しました。トランプ一族が、所有する不動産の評価を吊り上げて銀行から莫大な借金をする一方、その不動産を不当に低く評価して資産税を安く逃れたとして、脱税罪などでの起訴を狙ったのです。

トランプ氏の元顧問弁護士から「資金の流れを1ペニーに至るまで摑んでいる」と言われるワイセルバーグ氏が、数十年仕えたトランプ氏を売って、自己保身を図るのか。

当局の真の狙いは、同氏をFlipさせ、トランプ前大統領を個人として刑事訴追するためと目されていました。

この刑事裁判で、トランプ・オーガニゼーションは有罪の判決を受けました。しかし、ワイセルバーグ氏は検察が期待したトランプ氏個人を裏切るようなFlipはしませんでした。彼は、自分が会社の帳簿を操作して脱税したとして、検察側と収監5カ月の司法取引（**Plea Bargaining**）に応じただけだったのです。

▨▨▨ 例文

The prosecutor is working hard to flip Weisselberg on Trump.

■ 訳　検察官はワイセルバーグ氏にトランプ氏を flip するよう、懸命に働き
かけています。

▨▨▨ 例文

It remains to be seen whether Weisselberg will flip on Trump.

■ 訳　ワイセルバーグ氏がトランプ氏を flip するかどうかは、今のところわ
かりません。

Gambling Addiction

ギャンブル中毒

　大リーグ大谷翔平選手の通訳がスポーツ賭博に手を染めていたとの報道が、アメリカと日本を駆け巡りました。同氏は自分が**Gambling Addiction**（ギャンブル中毒）だったと認め謝罪したのです。Addictionとは悪癖に溺れることで、そんな人はAddict（中毒者）と呼ばれます。

　アメリカにおけるスポーツ賭博は、日本とは全く比較にならないほど巨大です。2024年のアメフトのスーパーボウルでは、230億ドル（約３兆5,000億円）にも上る大金が賭けられたと言われています。そして、調査によると全米人口の約１％が**Compulsive**（衝動的）Gamblingと表現される神経症で、ギャンブルから抜け出せないAddictionの状態にあるそうです。

　ギャンブルに関する法律は州ごとに異なります。大谷選手とドジャースがいるカリフォルニア州においては、スポーツ賭博は違法です。ニューヨーク州は、2022年にオンラインでのスポーツ賭博を解禁し、その結果、これまでに17.5億ドル（約2,650億円）の税収を得ています。ホークル州知事は今後も増収に期待していますが、当然、Gambling Addictionも拡大するでしょう。

　大谷選手の通訳をめぐるニュースは残念です。しかし、主要メディアがこの事件を大きく報道することで、アメリカのGambling Addictionが白日の下にさらされました。各州は、賭博から得る税収だけではな

く、Gambling Addiction がもたらす社会問題にももっと目を向けるべき
ではないでしょうか。

■ 例文

Ohtani said he did not learn about Mizuhara's gambling addiction until a clubhouse meeting after a game in Korea last Wednesday. He also denied having anybody place illegal bets on his behalf. (*The Athletic*)

■ 訳　大谷選手は、先週の水曜日に行われた韓国での試合後のクラブハウス・ミーティングまで、水原氏の **gambling addiction** については知らなかったと言いました。また、彼は自分のために誰かに違法な賭博をさせたことはないとも言明しました。

Gen Z
Z世代

　戦後生まれの世代は **Baby Boomer Generation**、次が **Generation X**、そして **Millenials**（**Generation Y** とも言う）。今、脚光を浴びているのが **Generation Z**、略して **Gen Z** です。1990年代半ばから2010年頃に生まれたこの世代は、アメリカ人口の４分の１を超える規模を誇ります。

　物心ついた頃からスマホと遊ぶ Gen Z は、まさに **Digital Native** で、友人たちと *Instagram* や *Snapchat* などのSNSで常に繋がっている若者たちです。彼らはテレビや新聞よりも、SNSを介して情報を得るのが普通です。

　多文化主義（**Multi-culturalism**）と多様性（**Diversity**）という言葉と共に育ってきた Gen Z は、一人ひとりの個性を重要視するようで、人種や性的少数派への差別を、年上の世代より強く拒否するとの調査結果があります。

　Gen Z が社会を主導していく2045年頃には、白人が少数派になることが予想されています。成長する Gen Z が、アメリカ社会を寛容なものにし、分断を抑える力となれるのか。それを期待する声がすでに聞かれるようになってきました。

■ 例文

Members of Gen Z are more racially and ethnically diverse than any previous generation, and they are on track to be the most well-educated generation yet. (*Pew Research*)

■ 訳　Gen Zの人たちはそれ以前のどの世代よりも人種的および民族的に多様性があり、加えて、これまでで最も良い教育を受ける世代になる道を歩んでいます。

Great Replacement Theory

大「置き換え」論

　2022年5月、ニューヨーク州の北部バファローのスーパーマーケットで、若い白人による銃撃で多くの黒人が死亡するというヘイト・クライム（**Hate Crime**）が発生しました。多くのメディアは、この事件の背景に、**Great Replacement Theory**があると報じ、この言葉がアメリカ社会の安定を揺るがす陰謀論として急浮上してきました。

　Great Replacement Theoryとは、もともとはヨーロッパで生まれた過激思想で、白人層がユダヤ系やイスラム教徒、そして有色人種に**Replace**（置き換え）され、伝統的なキリスト教的白人中心文化が危うくなるというものです。アメリカでは2040年代半ばに、白人が少数派になると予測されており、それを憂える白人至上主義者（**White Supremacist**）の間で、この人種差別的な論が拡散していると言われます。

　ニューヨーク州のチャック・シューマー上院議員は、右派を代表する*Fox News*に対し、番組でのGreat Replacement Theoryの喧伝がアメリカの暴力事件を煽っているとして、報道姿勢を改めるよう強く抗議しました。民主主義、人権そして多様性という価値観で世界をリードすべきアメリカが、差別的で危険なGreat Replacement Theoryを乗り越えられますように……。そう祈るばかりです。

例文

Senator Chuck Schumer, the majority leader, sent a letter to *Fox News* executives urging them to "immediately cease the reckless amplification of the so-called 'Great Replacement' theory on your network's broadcasts." (*Oregon Public Broadcasting*)

訳　上院多数派院内総務のチャック・シューマー議員は、*Fox News*の執行部に書簡を送り、「いわゆる **Great Replacement theory** を、貴社のネットワーク放送において無責任に増幅することを直ちにやめるよう」強く促しました。

Heat Dome

ヒート・ドーム

この数年、夏になると、アメリカでは連日、南部と中西部を中心にひどい熱波が襲い、人々の生活や健康に悪影響を与えています。テレビの天気予報はHeat Domeという最近まで聞いたことがない言葉を使い、高気圧が巨大なドーム（丸天井）のようになって大量の熱い空気を包み込み、海からの涼風が入るのを阻んでいると説明しています。

この Heat Dome のせいで、全米の多くの地点で、**Triple-digit Temperature**（3桁温度）という華氏100度（摂氏37.8度）を超える猛暑日が続き、電力不足で学校が休校し、工場は閉鎖されています。また、Heat Dome の周辺では激しい雷雨が多く観測されており、竜巻による破壊的な被害も報告されています。

広大な農地を干上がらせる **Drought**（日照り）、南西部の諸州を焼き尽くす **Wildfire**（山火事）、そして記録的な **Flood**（大洪水）……。今 Heat Dome は、地球温暖化の新たな形として国土と生態系に悪影響を与え始めています。我々は今後、経験したことがないような厳しい夏を覚悟しなければならないのかもしれません。

■■■■ 例文

Record-breaking heat waves have roasted the western United States several times already this summer. At the heart of these heat waves are "heat domes," sprawling zones of strong high pressure, beneath which the air is compressed and heats up. (*The Washington Post*)

- -

■■ 訳　　今年の夏は、記録破りの熱波がすでに何度もアメリカ西部を焼きつけました。この熱波の中心にあるのが heat domes、つまり広範囲に拡張する強力な高気圧のことで、その下にある空気が圧縮され、どんどん熱くなるのです。

House Poor
家にお金がかかり、生活は貧しい……

　友人の息子夫婦がニューヨーク郊外の立派な家に住んでいます。「リッチな若夫婦だね」と言うと、困った顔で「彼らはとても Poor なんだ、**House Poor** なんだ」と。House Poor とは住宅に関する費用がかかりすぎて、生活にお金が回らないことを意味します。

　実際、報道によると、アメリカでは住宅所有者の 4 分の 1 以上の人が House Poor に陥っています。これは、家計における住宅関連の費用が約30％を超える状況を指します。アメリカの多くの地域で、不動産の価格が大きく上がったうえに、銀行ローンの金利も上がりました。典型的な30年もののローン金利は、数年前には 2 ％台だったのに、2023年では 7 ％近くですから、月々のローン支払いは大変です。

　家のメンテナンスにかかる費用も上がる一方です。不動産税は、物件の価値の上昇につれて高くなり、ニューヨーク近郊では多くの住人は年 2 万ドル以上の不動産税を払います。一方、アメリカの南・西部では、住宅保険料の高騰が家計を圧迫しています。洪水、山火事、ハリケーン、竜巻などの異常気象が、地域全体に大損害をもたらしているからです。

　家を借りるのも大変です。マンハッタンのアパートを賃借する人の中には、月5,000ドル以上の家賃を払う人がたくさんいます。つまり家を持とうが借りようが、お金がかかり、生活は貧しい。まさに House

Poorという表現は多くの人々の苦しい家計状況を映していると言えるでしょう。

例文

More than one quarter of homeowners in the United States are "house poor," spending more than 30 percent of their income on housing costs, according to a new study. (*New York Times*)

訳 最新の研究によると、アメリカの住宅所有者の4分の1以上が **house poor** です。つまり、彼らの収入の30％以上を住宅に関する費用が占めているのです。

~ing while Black

黒人であるというだけで、不当な扱いを受ける

　〜 ing while Black とは、普通に生活をする黒人が、犯罪者のように見られたり、不当な扱いを受けるという米語です。もともとは、**Driving while Intoxicated**（酔っ払い運転）が **Driving while Black**（何も交通違反していないのに、黒人というだけで警官に目をつけられる）と転用されたもの。

　最近の例では、ジョージア州でジョギングをしていた黒人男性が、白人の元警官と息子に銃で撃たれた **Jogging while Black**。ニューヨークではセントラル・パークでバードウォッチングをしていた黒人男性が、白人女性にルール通り犬に首輪を付けてくれと頼んだところ、その女性が逆上して警察に通報した **Bird-watching while Black**。

　そしてミネソタ州ミネアポリスでは、黒人男性が、白人の警察官に些細な容疑で拘束され、膝で首を押さえつけられて殺害されました。普通に生きているのに、黒人というだけで警察にひどい仕打ちを受ける **Living while Black** の画像が繰り返し報道され、全米で抗議の嵐が巻き起こっています。人種問題の根深さを象徴するこの衝撃的事件は、社会を変える契機となるでしょうか……。

■■■■ 例文

His killing raises a host of troubling concerns in a country where jogging while black must be added to the outrageous list of hazards facing black men. (*cnn.com*)

■■ 訳　黒人男性たちの直面する法外な危険要因リストに **jogging while black** を付け加えなければなりません。この国において、彼の殺害は懸念すべき多くの問題点を提起しています。

Legacy Admissions
卒業生の子弟への入学優遇

　アメリカの有名・有力大学の多くは、入学選考（Admissions）において、親や親類が当大学を卒業した場合、とりわけ多額の寄付金を大学に払った場合は、その子弟を優遇します。この仕組みを**Legacy Admissions**と言います。Legacyとは「次の世代に引き継ぐ遺産」という意味です。

　今、Legacy Admissionsが市民の間で論議の的になっているのは、黒人の学生を優先的に大学に入れるための方法として確立していた**Affirmative Action**（少数民族のための積極的是正策）が、2023年に米国最高裁において不公平で違法だと判示されたからです。これを受けて、裕福な白人の子弟が優遇されがちなLegacy Admissionsはもっと不公平な制度だと、批判の声が上がっています。

　一方で、Legacy Admissionsを擁護する見解もあります。多くの大学では、その財務状態を強化するために卒業生からの寄付は必要であり、その寄付金の一部は低所得者のための奨学金として使われることにより、幅広い層の学生を入学させられると主張するのです。また、大学の担当者は、Legacyは大事な要素だが、実力がない子弟を自動的に受け入れる制度ではないとも説明します。

　いくつかの人権団体がハーバード大学でのLegacy Admissionsの実態を調べるよう求めたのを受けて、米教育庁が正式な調査に乗り出しま

した。アメリカで長く定着している Legacy Admissions は、今後どうなるのか……。大学志望者、その親たち、そして全ての大学関係者たちがこの論議の行方を見つめています。

例文

This advantage, known as legacy admissions, has long been controversial, but it's come under heightened scrutiny in the wake of the recent U.S. Supreme Court ruling against college admissions policies that consider an applicant's race. (*US News*)

訳　legacy admissions とも言われるこの優遇措置には、これまで長い論議がありました。しかし、最近、米国最高裁が志望者の人種を考慮に入れる選考方式を否定したことを受けて、この優遇措置は厳しい検証の対象になってきました。

Long-hauler

コロナ後遺症で苦しむ人

コロナ禍によるパンデミックは収束してきました。しかし、今でも後遺症で苦しむ人は多くいると報道されています。コロナ後遺症は **Long Covid**、そして、それに苦しむ人を **Long-hauler** と呼びます。

Haul とは、運ぶまたは引っ張ることで、普通 Long-hauler は長距離トラック運転手のことですが、コロナ禍において、後遺症に長く苦しむ人を意味するようになったのです。

はっきりした統計はありませんが、アメリカだけで何十万という人が、コロナ感染後、呼吸器や消化器、心臓などの不調に加え、慢性的な疲労感や記憶障害など、精神・神経の問題を長期間にわたって経験していると言われます。それは、コロナの重篤症状で入院した患者だけではなく、軽度で自宅療養した人にも起きるそうです。

新型コロナについては、わからないことが多くあります。そのため、Long-hauler について治療法（**Post-Covid Care**）が確立されるまでには時間がかかることでしょう。ただ少なくとも、コロナから回復したように見えても、ひどい後遺症に長く苦しむ人が多くいることを社会が認知し、彼らが必要な理解とサポートが得られることを期待したいものです。

例文

The study may help explain why so-called "long-haulers" continue to experience symptoms long after the virus has left their bodies. (*New York Times*)

訳　　いわゆる **long-haulers** が、ウイルスが彼らの体を離れたずっと後まで、なぜ各種の症状を経験し続けるのかを、この研究は明らかにする可能性があります。

Missing White Woman Syndrome

「行方不明者は白人女性」症候群

　2021年8月、ニューヨークに住むギャビー・ペティートという名の若い金髪の白人女性が、婚約者と一緒にドライブ旅行の最中に行方不明になりました。男性が当局に何も説明しない中、彼女の遺体がワイオミング州の山中で見つかると同時に、男性が翌月、姿を消し、全米のメディアが事件の経過を刻々と伝えました。

　事件がセンセーショナルな注目を集めた一方で、この報道のあり方が、**Missing White Woman Syndrome**（不明白人女性症候群）という米メディアの体質を象徴していると指摘されています。つまり、この不明者は白人女性だから注目されたが、有色人種だったら無視されただろうという批判です。実際、黒人・ラテン系などの少数民族の女性が毎年何万人も行方不明になっているという現実は、ほとんど報道されることはありません。

　米ジャーナリズムの世界は、他の産業に比べて、マイノリティへの差別が少ないと言われています。しかし、20年近く前、女性黒人ジャーナリストがつくり出した言葉Missing White Woman Syndromeは、今なお残るメディアのマイノリティ軽視の体質を鋭く暴くことで、人種平等をより意識し、人種に左右されない一貫した報道姿勢への転換を迫っているのです。

■■■■ 例文

Ifill famously coined the term "missing white woman syndrome" to describe the phenomenon of the media's extensive (and obsessive) coverage of white, upper-middle-class women and girls who have gone missing. (*University of Washington*)

- -

■■ 訳　アイフィル氏は "missing white woman syndrome" というフレーズをつくり出したことで有名です。それは、行方不明になった上位中流に属する白人女性や少女について、メディアが広範囲（そして異常なほど）に報道する現象を意味するのです。

No-knock Raid
急襲捜査

　捜査のため、警官がドアをノックしないで、つまり急襲して家宅捜査する **No-knock Raid** がアメリカで論議の的になっています。2020年3月、南部ケンタッキー州で、警官3人がアパートの部屋を薬物捜査のため急襲し、そこに住んでいたブリオナ・テイラー氏という黒人女性が警察の銃弾を浴びて亡くなりました。深夜の物音を不法侵入と思った彼女のボーイフレンドが放った警告弾に対して、警官側が室内に一斉射撃をした結果でした。

　彼女の殺害に関して一人の警官も訴追されなかったことで、黒人層による警察への反発、ならびに No-knock Raid 手法への批判が高まりました。今、時に **Breonna's Law** とも言われる、急襲捜査を禁止または制限する立法が広く論議されています。警察の観点からは、事前告知すると容疑者が逃亡したり証拠を隠匿したりするリスクがあり、No-knock Raid が必要とされる場合があるのでしょう。

　しかし、No-knock Raid により警察側も含めて毎年数十人が死に至っているそうで、この手法の危険性は明らかです。

　アメリカ市民の警察に対する不信感が高まる中、この急襲捜査手法の功罪に社会の大きな注目が集まっています。

▨▨▨ 例文

In fact, no-knock raids have been criticized even by some within law enforcement, who argue that they unnecessarily put officers' lives at risk. (*theintercept.com*)

▬ 訳　実際、**no-knock raids** は、警察の内部からさえも、その手法は警官の命を不必要にリスクに晒すものだと批判されてきました。

Non-binary

男か女の二分法に従わない

　アメリカで、そして日本でも **LGBTQ**（性的少数派）に関する論議が盛んです。その中で **Non-binary** という言葉が出てきます。Non-binary とは、男か女かという Binary（二分法）に従わない、つまり、男でも女でもない、または、男でもあり女でもあると自認する人たちのことです。

　性の多様性を最大限に認めようとするアメリカ社会は、Non-binary な人々を受け入れる方向に大きく進んでいます。カリフォルニア州は、運転免許証に Non-binary と記載することを認める法律を制定しました。またオレゴン州やメイン州においても同様のことが起きています。そして、彼らを He または She と呼べないと考える人々は、新たな代名詞として They を単数形として使うことが普通になってきました。

　男か女かという二分法を当然のように感じる人々には、Non-binary を理解できないかもしれません。しかし、理解できなくても、受け入れることが多様性を尊重することに繋がるのでしょう。

■■■ 例文

While non-binary is a specific gender identity, it's also often used as an umbrella term for others who don't identify with being a man, a woman, or another gender. (*health.com*)

■■ 訳　non-binary は特定の性自認のことですが、これは男、女または別の性だと自認しない人々を示す包括語としてもしばしば使われます。

Pineapple Express / Atmospheric River

パイナップル急行（嵐）/大気の川

　2024年2月、ロサンゼルスを中心にカリフォルニア州南部は記録的な嵐に見舞われました。その降水量は2日間だけで7インチ（約180ミリ）、これは半年分の量にあたります。その結果、500を超える地域でMudslide（地すべり）が発生し、多くの家が水没しました。*USA Today*によると、20万人にも上る人たちが居所を失ったそうです。

　この異常気象の報道の中で出てくるキーワードが、Atmospheric River（大気の川）とPineapple Expressです。Atmospheric Riverは、海上で大量の水蒸気を含んだ大気が帯状に連なり、地上に接近して豪雨・豪雪を降らせる気象現象です。その中でも、太平洋の中央、ハワイ周辺で生まれて東に進み、アメリカおよびカナダ西海岸を襲うものはPineapple Express（パイナップル急行）という名前が付いており、天気予報でよく聞くようになりました。

　ここ数年、カリフォルニアは歴史的な日照りに苦しみました。そして2024年は、記録的な大雨。科学者はこれらの異常気象は地球温暖化を背景に、永久に続くかもしれないと警告しています。その対策にかかる費用は天文学的な数字になるでしょう。人類はさらに多くの地域で、気候変動の厳しい現実と向き合わねばならなくなりました。

■ 例文

A well-known example of a strong atmospheric river is called the "Pineapple Express" because moisture builds up in the tropical Pacific around Hawaii and can wallop the U.S. and Canada's West Coasts with heavy rainfall and snow. (*National Oceanic and Atmospheric Administration*)

■ 訳　Pineapple Express は強大な Atmospheric River の一例としてよく知られています。ハワイ周辺の熱帯太平洋で蓄積した水分が、アメリカやカナダの西海岸を大雨や大雪で襲い、大きな被害をもたらすからです。

Preferred Gender Pronoun (PGP)
希望するジェンダー代名詞

　ある福祉関係の会に参加しようとしたら、住所、連絡先などに加えて、「**PGP**は何ですか？」と聞かれました。意味がわからずとまどっていると、**Preferred Gender Pronoun**、つまり普通のhe/him/hisでよいのか、それとも自分の性的指向に基づく別の代名詞を使ってもらいたいかという質問です、と説明してくれました。

　若い友人たちによると、これは日常的になってきたそうです。銀行に勤める友人は、採用のインタビューでPGPを聞かれたそうです。また、現に自分の名刺やEメールにPGPと書き足し、希望する代名詞を明記する人がたくさんいることがわかりました。実際、男性・女性を問わない代名詞（**Gender Neutral Pronoun**）としてのthey/them/theirを、単数として使う例をよく見ます。例えば"Tom should take better care of their cat."（トムは自分の猫をもっと大事にすべきだ）というようにです。

　アメリカの若い世代のLGBTQ（性的少数者）へのアプローチは日本とは大きく異なります。政府もそれを尊重し、パスポートにおいても男女の区別をしたくない人は「×」の印を使えることになりました。ニューヨーク州の運転免許証でも、同様に「×」が認められています。アメリカ人との付き合いにおいて、LGBTQとPGPへの理解は必須になりつつあります。

例文

Preferred gender pronouns or personal gender pronouns (often abbreviated as PGP) are the set of pronouns (in English, third-person pronouns) that an individual wants others to use in order to reflect that person's gender identity. (*Wikipedia*)

訳 Preferred gender pronouns または personal gender pronouns（しばしば PGP と略称されます）とは、個人が自己のジェンダー・アイデンティティーを反映するため、他人に使用してもらいたい代名詞（英語では３人称代名詞）の組み合わせのことです。

Pro-choice, Pro-life
妊娠中絶、容認派・反対派

　2022年6月、米国最高裁は、妊娠中絶をするかどうかの選択は連邦憲法上の女性の権利だと認定した、1973年の Roe 対 Wade 判例を覆しました。この結果、中絶をどう扱うかは50州各自に委ねられることになりました（この判決は略して Dobbs 判決と呼ばれます）。*The New York Times* は、最大28州で人工中絶が禁止、または極端に制限されると予想しています。

　妊娠中絶を認める側は **Pro-choice**、反対する側は **Pro-life** と呼ばれます。Pro は賛意を意味し、Pro-choice は中絶するかどうかの選択権（Choice）を女性自身が持つという立場。最新の調査では、米国民の60％以上が一定の条件の下に支持しています。一方、Pro-life は、受精の時から Life（人命）は始まり、ゆえに原則として中絶手術は許さないという立場で、カトリック教会の教えに沿うものです。

　今、この Dobbs 判決はアメリカの政治に大きな影響を与えています。全体としてリベラルで Pro-choice の民主党は、この判決を使って共和党の候補を攻撃する武器にしています。共和党に票を入れることは、中絶するかどうかの選択権（Choice）を女性から奪うものだと主張するのです。それに対して一部の共和党の政治家は、中絶を認める例外的事例（母体の医療上保護の必要性、性的暴行による妊娠など）を示すなどして、その衝撃を和らげる努力をしています。

政治的な対立は別として、テキサス州などの保守的な州においては、女性が中絶手術を受けることは非常に難しくなりました。自分の体についての選択を奪われ、困難な状況に追い込まれる女性についての報道を見るのは辛いことです。

■■■ 例文

The pro-life vs pro-choice debate can be an intimidating issue. It seems as though, no matter where one stands, something valuable is lost. For this reason, we highly encourage our readers to do their research before casting a vote in either direction. (*https://www.focusonthefamily.com/pro-life/pro-life-pro-choice/*)

■■■ 訳　　pro-life 対 pro-choice の論争は、ひどく心を悩ませる問題かもしれません。人がどんな立場に立とうとも、大事なものが失われるように見えるのです。だからこそ、どちらかへ票を入れる前に、読者が十分に調べることを、我々は強く推奨します。

Quiet Quitting
がんばらない働き方

アメリカの若者の間でバズっている言葉が**Quiet Quitting**。文字通り「静かに（仕事を）辞める」ことかと思うとさにあらず、仕事はそこそこにして、給料分以上はがんばらないという意味。残業はお断り、仕事中に時間ができたらスマホを楽しくチェックし、週末の私的な時間に仕事のメールを見るなど考えられない……などなど。

コロナ禍によるパンデミックを経て、仕事とプライベートとの関係が見直され、その結果、多くの若者が仕事をがんばりすぎることに疑問を感じているようです。そのため、TikTokなどのソーシャル・メディアでは、Quiet Quittingをめぐる話題が若者の心を揺さぶっているのです。

もちろんアメリカでも、伝統的な価値観を有する年配の人々や会社の上司からは、Quiet Quittingなどとんでもないという批判があります。当然のように、彼らの口からは、仕事にはベストを尽くせ、そうして信頼を勝ち得なさい、それが充実した人生を送ることになるという、激励と叱咤の声が聞こえてきます。

しかし、このような精神論は多くの若者には伝わらないでしょう。雇用主は従業員がQuiet Quittingに陥る原因を考えて対策を打たなければなりません。やりがいのある仕事を与えているか、無理な仕事を押しつけていないか、仕事の成果に正当な評価を与えているか……。観

察と対話により、従業員のやる気を出させるしか対処法はないのかもしれません。

■■■ 例文

Zaid Khan, a 24-year-old engineer in New York, posted a quiet quitting video that has racked up three million views in two weeks. In his viral TikTok, Mr. Khan explained the concept this way: "You're quitting the idea of going above and beyond". (*kanebridgenews.com*)

■ 訳　　ニューヨークの24歳のエンジニア、ザイド・カーン氏が **quiet quitting** に関するビデオを投稿したところ、2週間で300万人にも視聴されました。TikTokでバズった投稿の中で、カーン氏は「必要以上にがんばるという考えをやめるということです」とその意味を説明しました。

Resume Embellishment
履歴書の美化・粉飾

　2023年、**Resume Embellishment**（履歴書の美化・粉飾）が大きな話題になったのは、前回の下院選挙で共和党から出馬して当選したジョージ・サントス議員の選挙での履歴書が、全くのデタラメだったからです。*The New York Times* が暴露したところによると、一流大学の学歴も嘘、ウォール街での職歴も全て嘘。持っていたと主張する不動産や選挙資金に関する主張も全て事実に反していました（注：Resume はフランス風に *Résumé* とも書かれ、発音はレザメィ）。

　この報道に対するサントス議員の弁解は、「それは Resume Embellishment です」。つまり、嘘ではなく、美化しただけだと強弁したのです。たしかに、嘘と美化・粉飾の境界がはっきりしないことはあるでしょう。しかし、彼の行為は、学校の成績にゲタを履かせることとは次元が違うのです。

　国民の大多数がサントス議員の嘘には呆れ返り、議員辞職を要求する声が湧き上がりました。しかし、本人は居座り続け、共和党のリーダーたちも下院をぎりぎり僅差で抑えている状況の下、議席を守ろうとしましたが、最後には多くの共和党議員も含む下院3分の2以上の賛成票により、同氏は議会から追放されました。

　日本でもアメリカでも、就職活動に Resume Embellishment をする人はいるでしょうが、重要事項に関する経歴詐称は、入社後でも解雇の

理由になり得ます。ネット検索などの手法が進み、嘘は簡単に見破られるようになってきました。議員であろうが社員であろうが、嘘をついてまわりの信頼を失えば、仕事ができないのは自明のことですね。

例文

New York congressman-elect George Santos admitted on Monday to having engaged in "résumé embellishment" and lying about his education and work history. Santos has been embroiled in controversy following a *New York Times* report that raised discrepancies in the incoming congressman's background. (*Rollingstone.com*)

訳

月曜日、ニューヨーク州下院選挙で当選したジョージ・サントス氏は「résumé embellishment」を行ったこと、そして学歴と職歴に関して嘘をついたことを認めました。次期下院議員の経歴に各種の食い違いがあることを示す *The New York Times* の記事が出た後、サントス氏は論議の的になっていました。

See Something, Say Something

不審（物、者）を見たら、通報を！

　2001年9月11日に発生したアメリカの同時多発テロ事件から20年以上が経ちました。約3000人が亡くなった恐ろしい日々のすぐ後に、広告の専門家がつくった標語 "If you see something, say something."（何かを見たら、通報を！）は、今では See Something, Say Something と省略されて、ニューヨークの至るところ、そして全米各地でテロや犯罪の抑止への協力を市民に呼びかけています。

　この標語、当初は無責任な通報で当局が振り回されないか、また有色人種やイスラム教徒が不当に告発されないかという不安を感じた人もいました。しかしながら、定着した See Something, Say Something はテロ防止に大きく貢献していると、ニューヨークでのテロ対策を担当したある FBI 職員は述べています。

　米軍が撤退したアフガニスタンは、タリバンの統治の成り行きによっては、アメリカを標的とするテロの温床になることが懸念されています。また、連邦議会暴動を起こしたような国内過激派の脅威もあり、アメリカの War on Terror（テロとの戦い）は今後も止むことはありません。その戦いの中、See Something, Say Something は、テロへの警戒・市民の協力を訴えるキー・フレーズであり続けるでしょう。

例文

Carlos Fernandez was the special agent in charge of the FBI's Joint Terrorism Task Force in New York City from 2015 until 2017, and he points to numerous cases in which calls to the See Something, Say Something hotline produced useful information. (*https://gothamist.com/*)

訳 カルロス・フェルナンデス氏は、2015年から2017年までニューヨーク市における FBI 統合テロ対策室を担当する特別捜査員でした。同氏は、See Something, Say Something ホットラインへの通報が、有用な情報を提供することになった多くの事例を指摘します。

Student Absenteeism
生徒たちの常習的不登校

　アメリカの学校における **Student Absenteeism**（生徒が常習的に欠席する事態）が爆発的に増加していると、*The New York Times* が報じました。ある調査によると、全米の公立小中高校で26％の生徒がAbsenteeismに陥っているそうです。新型コロナによるパンデミック以前は15％くらいだったので、その後遺症であることは明らかです。「朝起きて学校に行く」という当然の習慣が失われて、通学そのものがオプションのように捉えられているとも言われます。Absenteeismの結果、欠席する生徒の学力が低下し、学びが遅れている生徒に合わせた授業になりがちなため、いつも出席している生徒も十分に学べません。学力の低下は、卒業率の低下にも繋がっています。

　Student Absenteeism の広がりとともに、友人や先生たちとの人間関係や信頼が薄れ、情緒面にも問題が起きています。その結果、青少年の非行や、場合によっては犯罪に繋がることもあります。とりわけ、子供の世話に十分な時間が割けない低所得地域ではこの傾向が顕著です。Absenteeismは、アメリカの教育レベルだけでなく、社会の安定にも悪影響を与えています。

　生徒の常習的不登校に対応するためには、学校が一人ひとりの抱える問題や悩みを理解したうえで、生徒を指導できる体制が必要です。そのため、教員の増員と大幅な待遇改善が必要と識者は指摘しますが、

簡単なことではないでしょう。アメリカ教育界が国民の理解のもと、十分な支援と予算を得て、この状況に対応できることを期待したいです。

例文

Today, student absenteeism is a leading factor hindering the nation's recovery from pandemic learning losses, educational experts say. Students can't learn if they aren't in school. (*The New York Times*)

訳　今、student absenteeism が、パンデミックによる学習損失から国が回復するのを妨げる主要な要因になっていると、教育専門家は言います。学生たちは学校に行かなければ学べないのです。

Toxic
毒に侵された

　オックスフォード辞典は2018年のWord of the YearにToxicを選びました。「有毒な」という古い言葉Toxicが選ばれたのは、社会の毒された風潮や状況を映す言葉として、人々に広く使われたからです。

　アメリカ社会の分断は政治や経済・環境だけではなく、人間関係のあらゆる局面をToxicなものにしてしまいました。譲り合いや協調の精神が失われ、反対する人を攻撃するToxicityが社会を覆ってしまったのです。

　Toxic Masculinityという言葉も、よく目にしました。「有害な男らしさ」という意味です。相次いだ銃乱射事件（犯人はほとんど男です）や、MeToo運動が明らかにした女性への暴力行為などの遠因に、粗暴を男性的と取り違えるToxic Masculinityがあるという主張です。専横な男たちによる女性蔑視の行為や発言が、政治的にも社会的にも見過ごされたことが、その論のもとにあるのでしょう。

　2018年がToxicで総括されたのは悲しいことでした。しかし、もっと残念なことは、この言葉が、今でもアメリカの社会的・政治的な不協和音を映す言葉として、あらゆる状況で多用されていることです。

社会

■■■■ 例文

Toxic masculinity is a term that has been gaining traction in the past few years. This term refers to the dominant form of masculinity wherein men use dominance, violence, and control to assert their power and superiority. (*greenhillrecovery.com*)

■■ 訳　Toxic masculinity はここ数年、人々の話題となってきた言葉です。この言葉は、力と優位を示すため、男が権勢、暴力、支配力を使うという意味での、男の強権的な行動様式を意味します。

Transgender Sports Ban

トランスジェンダー選手の出場禁止

Transgender Sports Ban（トランスジェンダーの選手をスポーツ大会から除外すること）について、全米で論議が巻き起こっています。Transgenderとは、出生時の体の性別に違和感を持ち、自分が自覚する性として生きる人です。

2022年3月に、全米大学水泳選手権でトランスジェンダーのリア・トーマス選手が女子500ヤード自由形で優勝した時、保守派のフロリダ州デサンティス知事は、彼女の勝利に異議を唱えました。これまでフロリダ州を含む十数州で、一般の女子選手に対する配慮として、Transgender Sports Banを法律で定めています。

トーマス選手は、以前は男性選手として競技に参加していましたが、女性としての自覚に従って、数年前からルールに基づき体を変えるホルモン療法を受けてきたそうです（しかし、治療を受ける前に蓄積した筋肉やその他の身体的特徴は、残存しているとの指摘があります）。

アメリカの若者の多くはトランスジェンダーを含む性的少数者に理解を示し、その生き方をサポートします。しかしスポーツ参戦には、一般の女性選手の立場を損なわないのかとされ、思いは複雑です。Transgender Sports Banはアメリカスポーツ界に大きな課題を投げかけています。

■■■■ 例文

Oklahoma and Arizona became the latest states to impose transgender sports bans Wednesday. Oklahoma Gov. Kevin Stitt signed a law banning transgender women and girls from competing on women and girls' sports teams in state public K-12 schools and higher education institutions. (*ABC news*)

- -

■■■ 訳　水曜日、オクラホマとアリゾナがtransgender sports bans を課す新たな州となりました。オクラホマ州のケビン・スティット知事はトランスジェンダー女性・少女が州立の幼稚園・小中学校および高等教育機関の女性・少女スポーツチームに参戦することを禁止する法律に署名しました。

Unruly Passenger No-fly List
無法な客・搭乗拒否リスト

　2023年春、アメリカ下院に **Unruly Passenger No-fly List** の作成を目的とする法案が出されました。**Unruly Passenger** とは、航空機内で規則や乗務員の指示に従わず、飛行の安全に危害を与える無法な乗客のことです。もしこの **No-fly List**（搭乗拒否リスト）に掲載されたら、全米の民間航空機に乗れなくなります（テロリストを対象とした No-fly List はすでに存在しています）。

　連邦航空局の統計によると、2021年には6,000人近い Unruly Passenger の事例があり、そのうち300人以上が訴追対象になりました。目立つのは、周囲に迷惑をかける乗客です。彼らは乗務員の依頼や指示に反抗したり、時には暴力行為に及んだりして、運航の危険を引き起こします。実際、安全のため飛行機がもとの空港へ戻ったり、予定外の空港に緊急着陸したりする事例が多発しています。

　これまで各航空会社は、自衛のため独自に Unruly Passenger のリストを作り対応してきましたが、他の航空会社とは共有していません。アメリカ政府が、航空会社の要望を受けて、空の安全のために Unruly Passenger No-fly List を作成するのか、そしてその適用範囲はどうするのか。搭乗の自由を奪うのは超悪質な乗客に限るべきとの慎重論もあり、関係する司法省と運輸省がどのような対応をとるのか、また議会での論議がどう進むのか、今後の成り行きが注目されています。

■ 例文

The number of disorderly passengers on commercial airplanes has sky-rocketed during the pandemic. Now, one airline executive is renewing his call for a national unruly passenger no-fly list. (*npr.com*)

■ 訳　パンデミックの間、民間航空機上で騒動を起こす乗客の数が急増しました。そして今、ある航空会社役員は全米 unruly passenger no-fly list の作成を改めて提案しています。

Vaccine Hesitancy
ワクチンへのためらい

　新型コロナウイルスに対する切り札として、ワクチン接種が大きな役割を果たしました。

　2023年のノーベル生理学・医学賞の受賞者に、そのワクチンの開発で大きな貢献をしたハンガリー出身の研究者カタリン・カリコ氏ら2人が選ばれました。

　しかし、専門家はこの過程で、**Vaccine Hesitancy**（ワクチンへのためらい）現象が問題になったことを忘れるべきではないと言います。

　もともとアメリカには**Anti-vaxxer**と称されるカルト的なワクチン反対論者がいます。彼らは、様々なワクチンは自閉症などの原因になるという、科学的根拠がない説を信じています。加えて、今回ウイルスの遺伝情報を使った新しい「mRNAワクチン」が、未曾有のスピードで開発されたがゆえに、安全性に不安を覚え、ためらう人々がいたのでしょう。特に黒人の間でVaccine Hesitancyは顕著だと言われます。過去に非倫理的な人体実験の対象になったり、現在でも十分な医学の恩恵を受けられない黒人層の一部には、新ワクチンには強い不信感があると調査は示しています。

　ワクチンには一人ひとりの健康を確保するだけではなく、社会全体が集団免疫（**Herd Immunity**）を得るという効果があります。感染症に対する集団免疫を達成するには、人類の相当の割合がワクチン接種

（または感染）することが必要と言われており、Vaccine Hesitancy は大きな問題です。

　コロナ禍は収束に向かっていますが、人類はいつまた新たな病原菌の挑戦を受けるかわかりません。アメリカ社会は Vaccine Hesitancy への対応を今後も必要としています。

■ 例文

Even as the U.S. struggles to keep up with early demand for the shots, the White House believes a messaging blitz is necessary to overcome significant amounts of vaccine hesitancy - enough to potentially prevent the country from quickly reaching herd immunity. (*politico.com*)

■ 訳　アメリカが接種への初期需要に対応するのに苦労する一方で、潜在的には国が早く集団免疫を得られないくらいの重大な **vaccine hesitancy** を克服するため、集中的大宣伝が必要だとホワイトハウスは信じています。

Woke
社会問題に目覚めている

　米語として定着したスラング**Woke**。「社会問題に敏感・社会正義に目覚めている」という意味です。WokeはWake（目が覚める）の過去分詞形ですが、今では独立した形容詞・副詞として使われています。

　この言葉が多用される背景には、アメリカ社会が抱える人種差別、格差、分断などの問題に危機意識を持てという、アフリカ系知識人が使う**Stay Woke**が、若者の心を摑んだからだと言われています。そして、Wokeから生まれた名詞**Wokeness**がメディアで多用されるようになりました。

　一方、**Wokeism**という新語が台頭してきました。これはWokeを急進的かつ危険な思想だとして、保守的な人たちが進歩派を攻撃する時に使う言葉です。黒人が苦しんできた人種差別の歴史を、子供たちに正確に伝えるべきだとする考えを、保守の一部はWokeism（やりすぎなWoke意識）だとして批判します。さらに、黒人が奴隷として苦難の道を歩いたことを題材とする書籍は、白人の子供にとって愉快ではないので、図書館から除外するべきという主張さえするのです。

　アメリカの南部を中心に、政治・教育の場で、進歩派と保守派の対立はWoke/Wokeismをもとにして、ますます激しくなりそうです。

■■■■ 例文

For example, if you notice that someone is being treated unfairly because of their skin color, being "woke" means speaking up and doing something to help them. (*https://diversity.social/*)

■ 訳　例えば、もし誰かが肌の色を理由に不公平に扱われているのに気づいたら、**woke** な人は、その人を助けるために声を上げ、何らかの行動を起こします。

chapter 3

経済・ビジネス・技術

発展がもたらす光と影

巨大IT企業の台頭、AI技術の発展は、
アメリカのビジネスや経済に
多大な影響を及ぼしています。

Activist Investor

モノ言う株主

　2021年、アメリカを代表する石油会社 *Exxon Mobil Corporation* の株主総会で、会社側が推す候補を抑えて、新興の投資ファンドが推薦した３人が取締役に選任されたことが、社会を驚かせました。会社の経営方針に見直しを迫る投資家を、日本では「モノ言う株主」と言いますが、英語では **Activist Investor** と呼びます。Activist は活動家、Investor は投資家です。**Activist Shareholder**（株主）とも言います。

　この投資ファンド、*Engine No. 1* は、エクソン・モービルの最近10年の業績不振を批判したうえ、経営の重点を化石燃料からクリーンエネルギー・脱炭素に重点を移すべきとして、環境重視派の人材を取締役にするよう提案しました。これに他の投資会社や多くの個人株主が賛同したのです。

　アメリカでは以前から、年金ファンドなどが、Activist Investor として存在感を示していました。従来は、株主利益のために、会社の経営に注文をつけるケースが普通でしたが、現在は環境、人権保護などの視点に基づく提案が注目されています。企業の **CSR**（**Corporate Social Responsibility**）つまり社会的責任を推進する Activism は、これからのアメリカビジネスに大きな影響を与えることになるでしょう。

■■■ 例文

Exxon Mobil's defeat by a new activist investor, *Engine No. 1*, at its an-
nual meeting on Wednesday is still reverberating around Wall Street.
(*The New York Times*)

■■■ 訳　水曜日に開かれた株主総会での、新興の activist investor *Engine No. 1*
による *Exxon Mobil* の敗北は、今なおウォール街で繰り返し話題とな
っています。

Brick-and-Mortar
（オンラインではない）実店舗の

　Brick-and-Mortar とはレンガと漆喰（しっくい）という意味ですが、通常の店舗（つまり、オンラインの店ではない）を意味する常套句になりました。もちろん全ての店がレンガ造りなのではなく、これは比喩的な表現です。

　アメリカでも日本でも、オンラインで物品を買う人が増えてきました。2023年において、アメリカのネット上での購入は全小売の15％を超えたそうです。オンラインの発展により、**Brick-and-Mortar Store** の将来に危機感を抱く人が多くいます。実際、いくつかの大型チェーン店が破綻し、**Mom-and-Pop Shop** と言われる家族経営の店も先行きが心配されています。

　米国最高裁は、各州がオンライン店からも **Sales Tax** を徴収できるとの新しい判断を示しました。これまで州は、物理的な設備を持たない業者には課税できなかったのです。この判決は、税の公平という意味で、Brick-and-Mortar Store を助けるものですが、それがオンライン・ビジネスの伸長を押しとどめるものになるのか、識者は否定的です。

The term "brick-and-mortar" refers to a traditional street-side business that offers products and services to its customers face-to-face in an office or store that the business owns or rents. (*Investopedia*)

訳　Brick-and-mortar という言葉は、自分が所有または賃貸するオフィスまたは店で、顧客に対して製品やサービスを対面で提供する、道路に面した昔からのビジネスのことを意味します。

Content Moderation
SNS上の投稿管理

　世界一の富豪で*Tesla* CEOのイーロン・マスク氏が440億ドルで*Twitter*（Xに名称変更）を買収した後、SNSにおける**Content Moderation**に関する論議が急激に高まりました。

　ContentとはSNSに投稿される内容で、Moderationとはそれを管理すること。つまり、Content Moderationとは、差別、中傷、ヘイト（憎悪）、ポルノ、暴力扇動など不適切な投稿を、何らかの基準を用いて制限することです。広い意味では、SNSが特定のメンバーを排除することや、また復帰を認める判断もModerationと言えるでしょう（アメリカではSNSはSocial Mediaと呼ばれます）。

　通常Social Mediaは、投稿を見張りチェックする担当者（Moderators）を大量に雇用し、目を光らせています。しかし、マスク氏は制約がない活発な意見交換の場を提供するとして、Moderationに懐疑的な考えを示しています。実際、買収後Content Moderation体制が弱体化し、陰謀論やヘイトスピーチなど不適切な投稿がX上で飛躍的に増大しているそうです。これらを受けて、社会的責任を重視する会社の多くが、Xを利用した広報・宣伝を中止しました。

　ニュースや意見、その他のあらゆる情報の広がりに占めるSocial Mediaの役割は今後ますます大きくなるでしょう。アメリカのSocial MediaにおけるContent Moderationは世界にも大きな影響を与えます。

今後の展開から目が離せません。

■■■ 例文

Also let go were an untold number of contractors responsible for content moderation. Among those resigning over a lack of faith in Musk's willingness to keep Twitter from devolving into a chaos of uncontrolled speech was Twitter's head of trust and safety, Yoel Roth. (*The Associated Press*)

■■■ 訳　content moderation の責任を負っていた数えきれない数の外部担当者
も解雇されました。ツイッターが無統制な言論の混乱に落ち込む事態
を、マスク氏に抑える意図があるとは信じられないとして会社を辞め
た人の中には、ツイッターの「信頼と安全」の責任者ヨール・ロスも
いました。

Cultivated Meat

人工培養肉

　米食品医薬品局（**FDA**）が安全性を承認したことを受けて、米農務省は2023年 6 月、*UPSIDE Foods* その他 1 社による鶏肉 **Cultivated Meat** の生産をアメリカで初めて認可しました。Cultivated Meat とは肉の幹細胞をアミノ酸などと共に培養する人工肉で、Cultured Meat、**Lab-grown Meat** とも呼ばれます。世界ではすでにシンガポールで認可され、販売されています。

　将来の食料問題を考えると、Cultivated Meat は画期的な発明です。世界の人口が増える中、畜産のみで食肉を供給するのには限界があります。また牧畜を拡大すると、森林伐採が進み、動物から排出される温室効果ガスも増加することから、環境への悪影響が心配されます。もちろん、動物の食肉処理自体にためらいを感じる人には素晴らしいニュースです。

　肉の代替として、数年前から **Plant-based Meat** という植物由来の肉が評判になっており、近所のスーパーマーケットには専用のセクションがありますし、ファストフードやレストランのハンバーガーなどにおいて、すでに使われています。今回の Cultivated Meat は、肉の細胞自体を使うので、さらに高品質な肉を提供してくれると期待が高まっています。

　菜食主義の友人に Cultivated Meat だったら食べますかと聞いたとこ

ろ、一人は「そんなものは、絶対No！」、もう一人は「生きている動物じゃないならいいかな……」という答えが返ってきました。Cultivated Meat が販売されるのは間近のようです。アメリカ市民の食卓での大きな話題となることでしょう。

━━ 例文

Cultivated meat begins with cells. *Upside* experts take cells from live animals, choosing those most likely to taste good and to reproduce quickly and consistently, forming high-quality meat, Chen said. (*ap-news.com*)

■ 訳　Cultivated meat は細胞からつくります。*Upside* の専門家たちは、高品質の肉をつくるため、最も味が良く、かつ早く安定して再成できそうな細胞を生きた動物から採取すると、チェン氏（*Upside* の最高執行責任者）は言いました。

Deepfake

人工知能を駆使して作られた偽の動画

Deepfake とは、コンピューターを使って作られた偽の動画です。Deep Learning（人工知能による深層学習）と Fake を結合した言葉です。数年前から大きな話題になっていますが、今や ChatGPT などの生成AIにより、精巧な偽画像が容易に作られるようになり、社会に及ぼす影響が各方面で論議されています。

とりわけ、政治の世界でこの Deepfake が暗躍するのではと心配されています。政敵を貶めるため、偽動画を流す可能性です。すでに大統領や総理大臣を選ぶ外国の選挙に介入するために、第三国が Deepfake を試していると噂されており、警戒感が高まっています。

これまでは、Deepfake は容易に見分けがつくと言われていましたが、生成AIの技術が飛躍的に進み、見分けられなくなったら何が起こるでしょう。ネット上だけでなく、テレビで報道される大統領や総理大臣の発言・映像そのものが Deepfake になったら……、これは恐ろしい Fake News 時代の到来です。

■■■ 例文

"Deepfakes are a powerful and dangerous new technology that can be weaponized to sow misinformation and discord among an already hy-perpartisan electorate," Berman said in a statement. (*marketwatch.com*)

■ 訳　「deepfakeは、とっくに極めて党派的になっている有権者たちに虚偽情報と対立を植えつけるための武器として使うことができる、強力で危険な新技術だ」とバーマン氏は声明で述べました。

Encore Career
（人のためにもなる）第2のキャリア

Encore Career とは第2の仕事キャリアですが、本業をリタイアした人たちが、人生後半に社会貢献などを通じて自己実現を図るというニュアンスがあります。それまでの職場で蓄積した経験・専門的スキルを若い世代に伝授する人もいれば、新たに教育、医療介護、福祉などの分野で活躍する人もいます。

Encore Career という考えは、マーク・フリードマン氏の著書 *"Encore: Finding Work That Matters in the Second Half of Life"* をきっかけに全米で広まりました。Encore とは音楽会の最後に、観客が叫ぶ「アンコール！（フランス語で、もう一度)」のこと。英語の発音はアンコアに近いです。

シニア層が社会との関係を積極的に追求する Encore Career の考え方は、人口の高齢化と労働力の不足が大きな問題となっている日本においても、社会を活性化するための大きなヒントになるのではないでしょうか。

Coaching and consulting opportunities can also serve as great encore careers. These roles can allow you to leverage your skill set to help others. (*Forbes*)

■ 訳 コーチングとコンサルタントの機会も、素晴らしい **encore careers** を提供します。このような役割によって、他の人を助けるために、あなたのスキルを活用することができます。

FIRE Movement

「経済自立で早く引退」運動

　この **FIRE** は「火事」ではなく、**Financial Independence, Retire Early**（経済自立で早く引退）の頭文字。2010年代以降、アメリカのミレニアル世代（20代後半から40歳前半）との会話で盛り上がる話題です。早くリタイアするウォール街の高給取りの話かと思ったら、さにあらず。FIRE は、衣食住の全てで無駄な出費を切り詰めて、貯蓄・投資をコツコツ増やし、できれば40代で仕事を引退し、自分がやりたい人生を実現する運動なのです。

　ミレニアル世代は、親の世代が仕事を人生の中心に置き、年を取るまで必死に働く姿に疑問を感じたと言われます。彼らの多くは「生きるための金さえ貯まれば、あとは自分の感性に従って生きることに人生の喜びがある」と考えました。そして、その思いは次の Z 世代にも引き継がれました。

　そして今、コロナ禍が収束する中、人々が人生や仕事を見直す機会を得て、FIRE 運動はアメリカだけではなく、ヨーロッパひいては中国や日本の若者にも影響を与えています。たしかに仕事が全てではないでしょう。願わくは、そんな若者たちが、互いを支え合う社会をつくることにも人生の喜びを見出してくれますように……。

■ 例文

The FIRE Movement is alive and well. The pandemic didn't derail the Financial Independence, Retire Early movement. In fact, it gave it new life. (*https://www.kiplinger.com*)

■ 訳　FIRE Movementはちゃんと生きています。パンデミックは「経済自立で早く引退」運動を挫折させませんでした。それどころか、新しい命を与えたのです。

Food Desert
「食の砂漠」

　アメリカ社会の経済格差が人々の食生活にどう影響するか、という論議でよく耳にする **Food Desert**。「食の砂漠」とは奇妙な表現ですが、質の良い果物や野菜が入手しにくい地域を指し、現実に数千万の人々が住んでいると言われます。

　南部・西部州の過疎地だけではなく、都市部でも、近隣に手頃な野菜販売店がないところがたくさんあります。ほとんどがマイノリティの居住区です。大手スーパーマーケットは、貧困地域では利益が見込めないと店を出しません。そのような地域では、ファストフードの店が乱立する状況が生まれ、いわゆる **Food Swamp**（食の沼地）になることも多いのです。結果として、住人はファストフードの脂肪の多い食事をとりがちになり、**Obesity**（肥満）に陥ることが問題となっています。

　オンラインで野菜・果物の食料を注文できるようにする試みもありますが、**Food Stamp**（困窮者のための食料金券）がオンラインで使えない州が多くあるうえに、配達地域や最低購入額などの制約があり、低所得者層には困難が伴います。Food Desertはアメリカの貧困の一断面です（日本でも人口過疎化によるFood Desert現象があると聞きます）。

■■ 例文

Food deserts can be described as geographic areas where residents' access to affordable, healthy food options (especially fresh fruits and vegetables) is restricted or nonexistent due to the absence of grocery stores within convenient travelling distance. (*https://foodispower.org*)

■■ 訳　food deserts とは、食料品店が便利な距離にないために、住人たちによる手頃で健康的な食材（特に新鮮な果物や野菜）の入手が制約されたり、不可能になったりしている地域だと言えるでしょう。

Friendshoring
友好国に機能を移すこと

　ニューヨークで貿易に携わっているビジネスマンとの会議の中で、一部のアメリカ企業が**Offshoring**を見直し、**Friendshoring**を検討していることが話題になります。Offshoringは沖合を意味する**Offshore**をもとにしていますが、Offは「離れた」、Shoreは「地方や国」という意味もあり、自社の機能の一部を外国に置くことを指します。そしてFriendshoringは、OffをFriendに置き換えた表現で、信頼できる友好国に機能を移すことを意味します。

　アメリカ政府は中国を念頭に、サプライチェーンのリスクを減らすことを政策としています。中国との政治的・地政学的な緊張、知的所有権をめぐる懸念、加えて新疆ウイグル地域での人権問題などがその背景にあります。それに伴い、中国に過度に依存したOffshoringのリスクを軽減するため、米企業は**Onshoring**（機能を当初からアメリカに置く）、**Reshoring**（アメリカに戻す）や**Nearshoring**（カナダやメキシコなど近接する国々に置く）、そしてこの延長上にあるFriendshoringを検討しているのです。

　そうはいっても、Friendshoringは簡単なことではありません。まず、中国などコストが低い国でのOffshoringを停止することによる費用の増加。また、どの国を友好国と定義するのかは難しく、場合によっては想定できない敵をつくるリスクもあります。当然、中国からの報復

的な措置も心配されます。アメリカの政府・産業界で論議されている Friendshoring や Nearshoring、Reshoring は日本のビジネスにも大きな影響があるのは間違いなく、我々はこれらの論議の行方に最大の関心を払う必要があるでしょう。

■■■ 例文

The United States Treasury secretary, Janet Yellen on Sunday said that Washington sees India as "an indispensable partner" in its friendshoring approach to strengthen the resilience of its supply chains. (*money-control.com*)

■ 訳　日曜日、アメリカの財務長官ジャネット・イエレン氏は、サプライチェーンの耐久力を強化するための **friendshoring** のアプローチにおいて、アメリカ政府はインドを「不可欠のパートナー」と見ていると述べました。

Generative AI

生成AI

2023年、**Generative AI**（生成AI）が人類に衝撃を与えたと言っても過言ではないでしょう。今や世界で数億人が利用するという*ChatGPT*は、人の指示（Prompt）に対応し、**Deep Learning**（人工知能による深層学習）という自己学習能力で、瞬時に回答文章をつくることができます。

これは人々の仕事、研究、創作全ての分野に大きな変革をもたらしています。これまで多大な時間を要していた作業がGenerative AIによって効率化される一方、仕事を失う人々が急増しています。そして、学校では、生徒にこの新技術をどのように利用させるのかについて、対応に追われています。

画像や音楽においても、同様の技術でGenerative AIが新しい作品を生み出すことができます。素晴らしい芸術的作品が期待される一方、著作権侵害を主張する訴訟がすでに起きています。Generative AIは、今後どこまで発展するのでしょうか。人間はそのGenerative AIを使いこなすことができるのか……。

*ChatGPT*に代表されるGenerative AIは、人間の文化だけではなく、戦争の仕方までを変える可能性を秘めた発明です。将来、歴史は2023年を特別な年として振り返るかもしれません。

Generative AI models for businesses threaten to upend the world of content creation, with substantial impacts on marketing, software, design, entertainment, and interpersonal communications. (*Harvard Business Review*)

訳 ビジネスに対応する **Generative AI** のモデルは、コンテンツ創造の世界をひっくり返す恐れがあります。つまり、マーケティング、ソフトウエア、デザイン、娯楽そして個人的なコミュニケーションの取り方に大きな衝撃を与えるでしょう。

Ghost Kitchen

食事配達サービスに
調理以外の全てを任せる料理屋

　アメリカでは、*Grubhub*、*Doordash*、*Uber Eats* というオンライン食事配達サービス（**Food Delivery Service**）が盛況を呈しています。料理人が作った食事を消費者がスマホで注文し、自宅や職場などに配達してもらう仕組みです。レストランで食べるより気楽で、また時間が節約できると言います。多くのレストランが店を開きながら、この配達サービスを付加的に活用しています。

　そんな中、お店を持たず、宣伝、注文受付、配達、代金回収といった調理以外を全て配達サービスに任せる、**Ghost Kitchen** と呼ばれるものが出現しています。立派な客席、接客スタッフなどのレストランとしての固定費もかからず、Ghost Kitchen では料理を作ることだけに専念できるのです。

　たしかに、配達サービスには質に問題があるとか、手数料が高すぎる（30％にも達することがある）など、料理を作る側、そして客の側からも懸念が出ています。それでも、Ghost Kitchen は今後ますます増えると予想されています。この形態が、料理人には自分の料理をビジネス展開できる機会を、消費者にはより多彩な食事のオプションを提供すると期待されているからでしょう。

例文

Thousands of restaurants are experimenting with these virtual spinoffs tucked inside their own kitchens. Others are opening "ghost kitchens," where all food is prepared to-go. (*USA Today*)

訳 何千ものレストランが、ネット用の別部門を自分のキッチンの一部に組み入れることを試している。一方、全ての食べ物が宅配用に調理される「Ghost Kitchen」を始めるところもある。

例文

More and more restaurants are turning to "ghost kitchens" to cut costs and improve customer experience. (*https://www.delish.com/*)

訳 ますます多くのレストランが、経費を削減しつつ、顧客により良い経験をしてもらえるよう「Ghost Kitchen」に転身しています。

Great Resignation
「大辞職」現象

コロナ禍によるパンデミックの数年間、アメリカの会社・雇用主が直面したのが **Great Resignation** と呼ばれる現象でした。**Resignation**（動詞 **Resign**）は、自分の意思で仕事を辞めること。

Great Resignation の背景には、人々がパンデミックの中で自己の仕事を振り返り、本当に自分に適しているかを考える機会を得たことがあると言われます。そして今、コロナ禍が収束し、経済が再開し、空前の人手不足の状態が起きる中、多くの人々が、より満足できる働きがい、給与、**Work-Life Balance**、安全・健康、勤務地・通勤の柔軟性などを求めて、職を辞める決断をしているのです。

Baby Boomer 世代が大量に引退する中、アメリカの労働者不足は今後も続き、この Great Resignation の潮流は今後も社会を揺るがすと見られています。人々が人生における労働の意義や価値を見直す時、会社・仕事場はそれに見合う新しい発想と仕組みで応えなければならないでしょう。

■■ 例文

In a new working paper, the UC Berkeley economist Ulrike Malmend-
ier suggests there's something existential behind the Great Resigna-
tion: The pandemic and the rise of remote work have changed the way
we view our lives and the world. (*https://www.opb.org/article/2021/10/19/why-
americans-are-quitting-their-jobs/*)

■■ 訳　新しい作業論文の中で、カリフォルニア大学の経済学者ウルリケ・マ
ルメンディアは**Great Resignation**の背景には人間の存在自体に関わる
何かがあると主張します。つまり、パンデミックとリモート業務の拡
大は、我々が自分の人生と世界をどのように見るのかを変えてしまっ
たのです。

Guilt Tipping
「義理」チップ

　レストランでのチップ支払いは、アメリカ生活の決まり事です。本来チップは感謝の気持ちで相手に渡すものですが、最近 **Guilt Tipping** という表現で、「義理」チップを払う状況が増えてきたと言われます。Guilt は罪悪感で、払わなければという義務感を意味しています。

　ニューヨークでは、レストランでのチップは代金の15%くらいと言われていました。しかし、パンデミックの下、苦労しているエッセンシャル・ワーカーには多めに払わなければという意識が広がり、20％くらいを払うようになりました。加えて、これまで普通は払わなかった状況（例えば、テイクアウトの場合など）でも、Guilt Tipping することが多くなってきました。

　Guilt Tipping を促すのが、全米で急速に広がりつつある、係の人が持ってくる代金支払い機器です。スクリーンに表示される選択肢の中からチップのパーセンテージを選ぶわけですが、相手がそばにいるので、つい多くの額を払うことになります。現に、支払い機器の普及とともに、全米でのレストランでのチップ総額が大幅に増加したと言われています。

　物価高騰の中、レストランの食事はとても高いものになってきました。そのうえに Guilt Tipping です。それでなくても日本人には面倒なチップ制度……。これから先どうなるのか、心配ですね。

While some are calling the increase in tips "tip-flation," other shoppers are calling it "guilt-tipping." They say the check-out trend asks you to leave a tip directly in front of the employee, making some feel obligated to tip when they wouldn't have otherwise. (*wsoctv.com*)

■■■ 訳　増えるチップを**tip-flation**（チップ・インフレ）と呼ぶ客もいれば、**guilt-tipping**と言う人もいます。彼らが言うには、従業員の前で直接支払うことが普通になってきた結果、そうでなかったら払わなかった場合でも、チップを払わねばという義務感を感じてしまうそうです。

Hallucinate
AIが誤った回答・情報を提供する

アメリカのあらゆる業界で*ChatGPT*などの生成AI（人工知能）の利用が爆発的に広がる中、**Hallucinate**という表現が注目されています。Hallucinateとは「幻覚を感じる」という古くからの言葉ですが、今では、AIが誤った回答・情報を提供するという意味で使われます。

*ChatGPT*などの生成AIが、蓄積された膨大な情報を使って、瞬時に回答を利用者へ提供するのは驚くべきことです。しかし、いまだ開発段階のAIに技術上の限界があるのは当然でしょう。専門家によれば、*ChatGPT*を含む生成AIは、誤った内容を含む可能性がありながらも、実力以上に誇張し、答えを大げさに提示する傾向があると言われます。その結果、人間がAIの提供する情報を鵜呑みにするリスクがあるのです。また、あるAIが流した誤情報をもとに、別のAIが不正確な情報を上塗りして生成する危険性も指摘されています。

行政やビジネスが生成AIを使って業務の革新をめざす過程で、Hallucinationの危険を検証する仕組みが検討されています。また、教育の場において、十分な批判的能力のない子供がAIを利用する場合のリスクを、教師が十分に認識することが大事でしょう。今後、生成AIが社会・教育の場で歴史を変えるくらいの大きな役割を果たすことが想定される中、AIのHallucinationにいかに対応するのか、人間の英知そのものが試されているのです。

nonki 2024

例文

Dictionary.com's word of the year is "hallucinate," referring to the tendency of artificial intelligence tools to spew misinformation. *(CNN)*

訳 （オンライン辞書）*Dictionary.com* の今年（2023年）の言葉は **hallucinate** です。これは人工知能を使った道具が誤情報をまき散らす傾向があることを指しています。

Hot Desking
席が固定しない職場（フリーアドレス）

コロナ禍によるパンデミックを経て、アメリカでは出社と自宅勤務のハイブリッドを容認し、職場の**Hot Desking**を採用する会社が増えてきました。Hot Deskingとは職場で席を共有するシステムの一つで、職場に来てから席が決まるため、その時々で席が変わる状況を意味します（米海軍の艦船では少ない数のベッドを回し合うため、前に使っていた人の体温が残っていることもあり、それをHotだといっていたのが言葉の起源だそうです）。日本ではフリーアドレスと呼ぶこともあるようですが、アメリカでは通じないでしょう。

Hot Deskingはスペース賃借費を節約することができるので、会社のコスト削減に大きな効果があります。しかし、自分の席が定まらないことにより、社員の働き方も変わります。たまたま座った席で、コンピューターだけで仕事をするのです。以前は自分の机の回りにあった書類や文房具、それに家族の写真はどこに置くのでしょうか？　書類・資料には、基本的にデジタルでアクセスするので、それにも慣れないといけません。

職場の人間関係も変わります。Hot Deskingでは誰がそばに座るかはわかりません。もっとも、これは新しい人間関係を築くきっかけになるとか、上司とも固定的な関係ではなく、もっと柔軟なコミュニケーションがとれるという肯定的な面もあります。とはいえ、Hot Desking

ではチームでの協力が難しいという面もあるでしょう。それを解決するためOffice Hotelingという共有システムが開発されました。これは、自分が座る席をホテルの部屋を予約するように、事前にアプリで予約するシステムで、必要に応じて業務の仲間同士がそばに座ることを可能にします。

　アメリカでも日本でも、ハイブリッド勤務はこれからも広がるでしょう。会社は、スペースの削減を考慮するうえで、Hot Desking と Office Hoteling を上手に使ってコストの削減と社員の満足、仕事の効率化を図る必要があるようです。

nonki 2023

■ 例文

Hot desking is when employees sit down at any available desk for the day without booking, whereas hoteling is when employees book unassigned seating in advance. (*officespacesoftware.com*)

■ 訳　Hot deskingは社員が出社当日に空いている机の前に予約なしに座ることです。一方、hotelingは社員が空いている席を事前に予約できる仕組みです。

Human Infrastructure
人的インフラ

　Infrastructure（下部構造）という言葉は日本ではインフラと略されて、社会の基本的な施設（交通、通信、水道、発電など）を意味します。アメリカの政治において、民主党は **Human Infrastructure** という言葉を多用して、国民の生活を改善することを、基本綱領 **"Build Back Better"** アメリカをより良い国へ立て直す）の中心に置いています。

　とりわけ医療、介護、住宅、無償教育や子供手当の充実など、低所得者層・弱者を支援するための社会政策は Human Infrastructure の眼目です。加えて、気候変動を見据えた山火事・干ばつなどの災害対策、温暖化防止のための再生可能エネルギーへの転換が含まれています。

　財政規律を重視する共和党は大型予算に反対で、民主党の中道派の一部も懸念を示しています。大企業と高所得者への大型課税を通じて、社会・環境のための Human Infrastructure を導入することは、バイデン大統領が国民に宣言した最重要政策です。大統領が連邦議会を説得することに成功するのかどうか、政権の真価が問われます。

■■■ 例文

Senate Democrats continue to fight among themselves over President Joe Biden's proposed $3.5 trillion 10-year spending plan for so-called "human infrastructure," a massive expansion of the social safety net.

(*https://www.forbes.com/*)

■■ 訳　民主党の上院議員たちはジョー・バイデン大統領が提案する10年間で3.5兆ドルに及ぶ、いわゆる human infrastructure、つまり社会安全ネットの大規模拡大について、仲間内での取っ組み合いを続けています。

Junk Fee
不当な追加料金

　最近泊まったフロリダのホテル、1泊300ドルだと思っていたら、チェックアウト時になって、リゾート料金35ドルの追加請求がありました。会計士に税務申告を助けてもらったら、料金700ドルの他に施設料として50ドルの上乗せ。野球の切符をオンラインで買ったら、代金70ドルに加えて最後にサービス料が24ドル。通信業者との長期契約を早期解約しようしたら、請求される高額罰金……。

　このような予期しない追加料金を **Junk Fee** と言います。Junkとは値打ちがないものという意味で、隠れてヒタヒタと請求されるので **Drip Pricing** とも言われます。

　2023年3月に、民主党は *Junk Fee Prevention Act*（Junk Fee阻止法案）を議会に提出しました。法案の目的は、法外で、隠れた、そして不必要な（excessive, hidden, and unnecessary）料金を制限・禁止することです。

　バイデン大統領は、国会施政演説で、Junk Feeというのは富裕層には大した問題ではないかもしれないが、庶民にとっては非常に大きな負担だと両党に訴え、対処を促しました。実際、毎年消費者は総額数億ドルのJunk Feeを払わされると言います。ホテル代、航空運賃、あらゆるサービスの代金が高騰する今、この法案が成立すると、アメリカ市民にとっては喜ぶべきニュースになるでしょう。期待したいです。

■■■ 例文

Rep. Ruben Gallego (D-AZ) and Rep. Jeff Jackson (D-NC) today introduced the Junk Fee Prevention Act to eliminate burdensome and oftentimes hidden fees imposed on consumers when purchasing tickets, hotel rooms, and other forms of entertainment. (*https://rubengallego.house.gov*)

■■ 訳　アリゾナ州選出の下院議員ルーベン・ガレゴとノースカロライナ州選出の下院議員ジェフ・ジャクソン両氏（共に民主党）は、本日 **Junk Fee Prevention Act** を提出しました。その目的は、切符やホテルの部屋、その他の娯楽への支払いに際して、消費者の負担となり多くの場合隠れた形になっている手数料が消費者に請求されることを阻止することです。

Mommy Track

子供のケアを優先する女性の働き方

Mommy Track は直訳すれば、お母さんの通り道。アメリカの職場において、妊娠・出産した女性のため、勤務時間を減らしたり、業務責任を軽くしたりするなど、子供のケアを優先する働き方を意味します。母親が自分の意思でそのような働き方を選択することも多いでしょう。

しかし、子供ができた女性に男性とは同じ責任を任せられないとして、本人の意思に関係なく、不利なまたは差別的な扱いをされることがあります。これは **Mommy-tracked** と表現されます。数年前、多くの女性弁護士が、勤務していた巨大法律事務所を相手にして、出産または子育てを理由に昇給・昇進の機会を奪われたと主張して訴訟を提起しました。これらの訴訟の多くは和解で終了しました。和解の条件の詳細は明らかになっていませんが、女性弁護士たちはMommy-trackedを立証するのに苦労しただろうと想像されています。

もともと、女性が組織において **Glass Ceiling**（ガラスの天井、つまり昇進を妨げる見えない天井板）を突き破ることは、簡単ではありません。それに加え、小さな子供を持つ女性はMommy-trackedという側壁をも、程度の差はあれ乗り越えねばなりません。日本に比べ、男女が平等な取り扱いを受けているとされるアメリカ社会ですが、それでも女性が組織の上に立つのは並大抵の努力ではできないのです。

■■■ 例文

The lawsuit says that such women are designated to the "mommy track," where they are denied opportunities for promotions or raises that other lawyers have. (*Law & Crime*)

■■■ 訳　訴状によると、このような女性たちは、他の弁護士たちが享受する昇格や昇給の機会を否定される「mommy track」に乗せられることになります。

Pancake Collapse

ビル階層の連鎖崩壊

2021年6月、フロリダ州南部マイアミの近くサーフサイドという海辺の町で、**High-rise Condo**（高層マンション）が前触れもなく倒壊し、死者98人にも及ぶ大惨事となりました。この事故は**Pancake Collapse**、つまり各階層が連鎖的に崩れ、パンケーキ状にペシャンコになったと表現されました。

周辺の治安カメラが捉えた、一瞬のうちに崩れ落ちる12階建てビルの映像は衝撃的でした。テレビは救出の様子を連日報道しましたが、崩壊直後に若者が救出された以外に生存者は見つからず、Pancake Collapseの恐ろしさを見せつけたのです。

世界各地で起きる地震により、ビルの下層がまず崩れ、上の階が短時間に順次崩壊することはあります。しかし、このフロリダの事例では、地震はなかったのです。

崩壊の原因として、湿地の上に建てる建物として、設計上の欠陥、特にコンクリートを支える鉄骨の量が十分ではなかったこと、また定期的なメンテナンスがきっちり行われていなかったことが指摘されています。高層ビルに住むフロリダ市民の不安は、簡単に解消されることはないでしょう。

例文

Unlike some collapses that create W-shaped spaces where people can survive, a "pancake collapse" like the one in Surfside tends not to leave livable spaces, Jadallah said. (*AP News*)

訳　人々が生き残れるＷ字型空間ができる建物崩壊と異なって、サーフサイドで起きた類の **pancake collapse** は、生き延びる空間を残さないものだとジェダラー氏（消防副署長）は述べました。

Pay Transparency
給与の透明化

　米社会は **Pay Transparency**（給与の透明化）に向かっていると言われます。これまでは、日本でもアメリカでも、大抵の人は自分や他人の給料について話すのはタブーと考えたでしょう。しかし、最近のアメリカの若者たちは、給料の開示をためらわないどころか積極的に話題にするそうで、この傾向が社会を変えつつあります。

　Pay Transparencyは、同種の仕事をする他人との比較において、給料が高いか低いかを教えます。それ自体大事な情報で、自分の給料の改定交渉に使うこともできるでしょう。また、透明化が男女や人種間などの賃金差別を表面化させることもあります。ニューヨーク市は、2023年の11月以降、採用広告にそのポジションの給料の範囲を明示させる規則をつくりました。これは、まさに性別や人種などによる給料の不当差別を抑える目的があるのです。

　もちろん、Pay Transparencyは経営サイドに新たな手間と試練を与えると、懸念を示す企業人もいます。しかし、アメリカにおける透明化の潮流は、働く人々に仕事と対価に関する重要な情報を示し、同時に企業に公正な給与制度を意識させるものとして、ますます強まると予想されています。

■■■■ 例文

Why is pay transparency important? For one thing, it facilitates attracting and retaining talent, as new applicants to the workforce are demanding increased transparency with regard to pay. (*Harvard Business Review*)

■ 訳　なぜ、**pay transparency** は重要なのか？　一つには、新しい就職応募者たちが給与について高い透明性を要求する中で、給与の透明化が才能ある職員を引きつけ、また、留め置くことを容易にするからです。

Pink Tax

女性にかかる余計な出費

アメリカで、女性用の商品は男性用より高いでしょうか？　アメリカ会計監査院の調査では、デオドラントなどのパーソナルケア商品は、女性用の商品が男性用より高いという傾向が示されました。

実は、物だけではなく、車の修理代などのサービスも女性には高く請求されるとか、お金の借り入れの条件も女性に対して厳しくなりがちとも言われます。

女性が余計に払わされることを指して **Pink Tax** と呼びます。Tax と言われますが、税金ではありません。女性であるがゆえに被る経済的不利益を表す決まり文句として、Pink Tax が定着してきたのです。

Pink Tax には批判がありますが、規制は容易ではありません。値付け（Pricing）には宣伝費など多くの要素が含まれるので、コスト比較が難しいと業界は主張します。

ニューヨークは法律で規制する数少ない自治体の一つですが、対象範囲は物の修理とかクリーニングなど、サービスだけに限られています。

男女平等が進んでいるはずのアメリカにおいて、Pink Tax が大きな話題になるのは興味深いことです。日本でも同じ現象が起きているでしょうか？

==== 例文

In some areas of commerce, women are routinely charged more than men. Two prominent examples are haircuts and dry cleaning. Critics of gender-based pricing call it a "pink tax" because it happens much more often to women. (*govtrackinsider.com*)

■■ 訳　商品取引のある分野では、女性が男性より高い値段を請求されることがよくあります。2つの顕著な例が、理髪とドライクリーニングです。性別によって値段に差をつけることを批判する人たちは、そのようなことが女性を対象として頻繁に行われるので、"pink tax" と呼んでいます。

Plant-based Meat
植物由来の人工肉

　アメリカで大きな話題になっている **Plant-based Meat**。Plant（植物）をベースに製造される肉の代替品（**Meat Alternative**）です。バーガーキングでも、*Impossible Foods* が製造する人工肉で作ったハンバーガーを導入し、若者たちの間で評判になっています。試しに食べてみたら、たしかに、見た目も味もほとんど違和感はありません。

　若者たちとの会話で、自分の健康のためというより、将来の食料不足や環境問題を考えて Plant-based Meat に興味をもつ人が多いというのが印象的です。牛や羊を育てる牧畜業は、食料の生産という観点では効率が悪い。また放牧のため森林が減り、加えて動物の生理作用で二酸化酸素が大量に放出され、地球温暖化の原因となるというわけです。

　Impossible や *Beyond* と称する人気の Plant-based Meat にも、安全上の疑問はあります。人工肉の主要原料は豆やナッツなどの植物から抽出したタンパク質とはいうものの、本当は何が入っているのか……。この点に疑問を持つ消費者が存在するのは事実です。

　とはいっても、多くのファストフードチェーンが植物由来の人工肉をメニューに取り入れました。若者たちの支持を得る Plant-based Meat は、安全性を確立することで、人間の食の未来を変えるのではないでしょうか。

▬▬ 例文

Plant-based meat is finally shaking off its reputation as a poor imitation of the real thing. Rather than just targeting vegetarians, plant-based analogue producers like *Beyond Meat* and *Impossible Foods* are targeting the 95% of consumers who eat meat. (*https://www.valuewalk.com*)

▬▬ 訳　Plant-based meatは、本物のお粗末な模造品という世評をついに振り捨てようとしています。*Beyond Meat*や*Impossible Foods*というような植物由来の類似品製造業者は、菜食主義者だけを対象としているのではなく、肉を食べる95％の消費者を対象にしているのです。

Price Gouging
不当な高値で売りつけること

食料やガソリンをはじめとして、アメリカの物価の上昇が消費者を苦しめています。供給サイドは、サプライチェーンの問題とかウクライナ情勢などにより、原料および運送コストが上がっているので値上げは仕方がないと主張します。それに対し、識者は、実際にガソリン大手や食品会社が記録的な利益を挙げていることから、業者が事態に便乗して **Price Gouging** をしていると指摘します。

Price は値段、Gouge とは鑿で彫ることですが、米語では不当な高値で売りつけることを意味します。ニューヨーク州は、健康や安全に関わる必需品を Gouge することを禁止しており、その対象は製造元、中間業者、運送会社から小売店にまで広がります。

ニューヨーク州の **Attorney General**（司法長官）は、ガソリンと赤ちゃん用粉ミルクの値上がりに関して、Price Gouging の疑いがあると指摘しました。州司法長官は、市民に呼びかけて、Price Gouging を疑わせる情報を収集しています。この調査が、企業による **Profiteering**（暴利のむさぼり）を摘発し、物価高で苦しむ人々が少しでも助かることを願って……。

例文

New York Attorney General Letitia James launched a wide-ranging investigation Thursday into whether the oil industry has engaged in gas price gouging, a person familiar with the matter told *CNN*. (*CNN*)

訳 本件の消息通が *CNN* に明かしたところによると、木曜日、ニューヨーク州司法長官レティシア・ジェームズは、石油業界がガソリンの **price gouging** を行っているかどうかについての広範囲な調査を開始しました。

Ransomware
身代金目的のハッキング・プログラム

　全米の自治体がRansomwareによる攻撃を受けて、コンピューターで蓄積した情報が使えない事態が相次いで発生しています。Ransomとは人質解放の身代金のこと。ハッカーの手口は、ファイルを暗号化（**Encryption**）して読めなくしてしまい、被害者に暗号化解除（**Decryption**）と引き換えに、身代金を要求するのです。

　フロリダ州やテキサス州のいくつかの市が、ハッカーにしぶしぶ50万ドル前後の身代金を払ったと伝えられますが、他の自治体も同様の攻撃をされています。一方、アトランタでは自力で修復を図ったものの、その費用が1,700万ドルに達したと伝えられます。

　FBIはこの種の犯罪がますます広がるのを恐れて、身代金の支払いを拒否するよう要請しています。しかし、攻撃された自治体の多くは市民サービスの早期回復のために支払いに応じてしまうのです。最近は自治体だけでなく、病院や学校、裁判所にまでRansomwareの攻撃が広がっています。**Malware**（コンピューター攻撃プログラムの総称）に対抗するため、社会が総力を挙げて対策すべき時が来ていると思われます。

■ 例文

American satellite television provider *Dish Network* suffered a ransomware attack on Feb. 23 that caused network outages and also affected data for more than 290,000 individuals, mainly employees.
(*techtarget.com*)

■ 訳　アメリカの衛星テレビ局*Dish Network*が2月23日にransomwareの攻撃を受け、その結果ネットワークが停止し、29万以上の、主に従業員の情報に影響が生じました。

Retail Apocalypse
小売店が陥っている大困難

　アメリカの小売店舗が直面している状況を論議する中で出てくる言葉、**Retail Apocalypse**。Retail とは小売り、Apocalypse とは黙示録という聖書の言葉で「終末的状況」のことです。

　ここ数年、全米で町のお店だけではなく、*JCPenney* など有名なデパートが次々に経営破綻に追い込まれました。また、*Target* などの大手チェーン・ストアがニューヨークを含む各地で店を閉めてしまいました。

　Retail Apocalypse の背景として、*Amazon* などのオンライン・ビジネスが大きなシェアを持つようになったことがあります。しかし、それ以上に実店舗（Brick-and-Mortar Store）を苦しめているのが、**Shoplifting**（万引き）の増加です。

　ニューヨークにおいて特に顕著で、1,000ドル以下の万引きは軽犯罪と扱われていることが、その背景にあると言われます。また、盗んだものをオンラインで容易に売ることができる *eBay* などの存在が、万引きや集団窃盗の動機になっているとも指摘されています。

　今、小売店は規模を問わず、大きな困難に面しています。Retail Apocalypse というのは大袈裟な表現かもしれません。しかし、住民が必要なものを手に取って買う場所がなくなることは、小売店砂漠化（**Retail Desert**）現象として、アメリカ各地の社会問題になっているの

です。社会的・法的な施策の下、この残念な状況を改善してほしいと多くの市民は願っています。

例文

Roughly 80,000 stores are doomed to close in the next 5 years as the retail apocalypse continues to rip through America. (*Business Insider*)

訳　retail apocalypse がアメリカを襲い続けることにより、これから 5 年間の間に約 8 万軒の小売店が店じまいする運命にあります。

Showrooming
商品をお店で実際に触って、最後にはオンラインで買うこと

　Showroom は日本語でもショールーム（展示室）と言いますが、**Showrooming** はスラングとして、買いたい商品をお店で実際に触って、値段を確かめて、最後にはオンラインで買うという意味で使われます。アメリカでデパート、高級服飾店、電気製品店など、通常の実店舗（Brick-and-Mortar Store）の多くが経営に苦しんでいます。消費者が、アマゾンなどのオンライン店舗で買い物をする傾向がますます顕著になっているからです。

　もちろん、実店舗側にも Showrooming に対抗する手を打っている店はあります。商品知識の豊富な店員を配置して、客の商品に関する技術的な質問に丁寧に答えることで、客との人的な信頼関係をベースに、販売を促進する努力です。実際、Showrooming に対する、**Webrooming** という表現をよく見るようになりました。買いたいものの仕様、品質、評判、そして値段をネットでまずチェックして、その後、実店舗で、商品に触れた上で購入することを意味します。

　小売業界は、ますます、Showrooming と Webrooming という行動パターンを注意深く観察し、客へのアプローチを図っていくでしょう。結果として、それが消費者の便宜と満足に繋がればありがたいことです。

▬▬ 例文

"Showrooming" benefits online retailers, since they can offer cheaper prices than brick-and-mortar retailers for identical products because of their lower overhead. (*investopedia.com*)

▬▬ 訳 **Showrooming**はオンライン店舗が利することになります。なぜならオンライン店舗は、間接費をより低く抑えられるので、実店舗に比べて同一商品をより安く提供できるからです。

Shrinkflation

「目減り」インフレ

　日本食品店で、いつものすき焼き用の肉を買ってきました。パッケージの値札はいつもの19ドル。でも、何か感触が違います。軽い！　よく見るとポンドあたりの単価は３ドルも高い……。これが話題の**Shrinkflation**かと気づきます。Shrinkは縮む、flationはInflationです。

　アメリカでは、食料品や家庭用品などの急激な値上がりが家計を直撃しています。サプライチェーンの問題とか労働賃金の高騰などの理由が言われています。その中で、商品の値札は変わらないけど、よくよく見るとShrinkflation。洗剤もコーヒー缶もパンも化粧品も、そしてトイレットペーパーも……。だまされたと怒る消費者もいますが、量を減らしても値段をそのままにするほうが、買う人も手を出しやすいと供給サイドは反論（？）します。これは昔からある苦肉の策なのでしょう。

　バイデン政権はインフレ対策に躍起ですが、当分の間はこの傾向が続くという見方が大半です。それならこの際、すき焼きの肉もご飯も減らして体重「目減り」をめざしますか、健康のためにも……。

例文

If you're grocery shopping on a tight budget and are trying to avoid getting duped by shrinkflation, make sure you're calculating the per-ounce price of goods. (*newsconcerns.com*)

訳　もしあなたが、きつい予算で食料品の買い出しに行った際、shrinkflationでだまされないようにしたいなら、商品のオンスあたりの価格を計算することを忘れないように。

Single-use Plastic Ban
使い捨てプラスチックの禁止

アメリカ中で**Single-use Plastic Ban**（使い捨てプラスチックの禁止）の動きが拡大しています。Plasticはプラスチックですが、日本人が考える硬い材質だけではなく、ビニール（Vinyl）袋なども含まれます。Single-useは1回使い、つまり使い捨てですが、使用後にリサイクル等の処理がされず環境を害するものを意味します。

Single-use Plastic Banを実施しているニューヨークでは、スーパーマーケットはマイバッグ（日本語です）の持参を推奨し、必要な人には紙袋を有料（5セント）で渡します。また、カリフォルニア州は、Single-use Plasticの食器の使用量を減少させ、リサイクル率についても一定の基準を達成するよう生産者に求める新法を制定しました。

国際的家具メーカーのイケアは、自社で使うプラスチックをリサイクル可能なものに限定していく方針を発表しました。またスターバックスも、プラスチックのストローをなくすなど、環境への対応を実施しています。

人間が使う大量のプラスチックが海に流れ出し、最終的にはマイクロ・プラスチックとなり、海を汚し海洋生物を害します。これは我々の食の問題でもあるでしょう。プラスチックと今後どう付き合っていくのか、我々は大きな挑戦に立ち向かっています。

例文

California's new plastic law goes beyond typical single-use plastic bans. On Thursday, June 30, California Governor Gavin Newsom signed SB 54 into law. This new legislation will require all packaging statewide to be either recyclable or compostable by 2032. (*www.greenmatters.com*)

訳 カリフォルニア州の新プラスチック法は典型的な **single-use plastic bans** を超えるものです。6月30日木曜日、同州のギャビン・ニューサム知事はSB54法案に署名し成立させました。新法は州内における全ての包装材料が、2032年までにリサイクルまたは堆肥化できることを義務としています。

Techlash
巨大テクノロジー会社への反発

　アメリカでもヨーロッパでも、*GAFA*（*Google, Apple, Facebook, Amazon*）に代表される巨大テクノロジー会社に反発する嵐が巻き起こっています。その嵐は **Techlash** と呼ばれています。Lash は鞭のことで、テクノロジーへの **Backlash**、つまり反発・反感を意味します。

　利益の独占と税金逃れ、個人情報の軽視と流用、フェイクニュースや危険な扇動の放任……。Techlash は、大企業が利潤の極大化に熱心なあまり、社会的な責任を果たしていないという批判そのものです。

　Techlash の高まりを受け、行政と立法府はようやく巨大テクノロジーの規制に動き始めました。それは、税金逃れの摘発から、ひいては独占禁止法に基づく会社の分割まで取り沙汰されています。

　我々の生活は今、人間関係も、検索も、ショッピングも大きな部分をインターネットに依存しています。ネット社会を主導してきた大企業が、負の側面を排除し、真に市民のための **Platform**（土台となる環境）を提供できるのか、我々は今後も注意深く目を光らせねばならないでしょう。

■■■ 例文

The techlash has officially arrived. The unbridled power of big tech is now in the cross hairs of Washington. (*The New York Times*)

■■ 訳　Techlash*が公式に始まりました。巨大テクノロジー会社のとどまることを知らない勢力が、今、ワシントンでの攻撃の標的になっています。

*Techlash という言葉は、もともと英国の *The Economist* が使い始めたそうです。

199

Web Scraping

ネットから情報を抽出し、使えるデータに変換すること

インターネットに存在するWebサイトから情報を抽出し、使いやすいデータに変換することを、**Web Scraping**と言います。Scrapeは掻き出すという意味。Web Scraping自体は、目新しいことではありませんが、ここ数年、アメリカ社会で問題になっているのが、*Clearview AI*という新興の会社が、ネットから何十億枚もの顔写真と身元をScrapeし、その情報を警察や必要とする企業に提供していることです。おそらく、あなたの顔写真も入っているでしょう！

*Clearview AI*は、顔認証技術（**Facial Recognition Technology**）のもと、自社のデータベースに溜めた何十億枚もの顔写真をベースに、対象となる写真の人物を特定できます。シカゴ警察をはじめその他の捜査機関が、すでに*Clearview AI*と契約を結び、写真に写ったり画像に映っている犯人や容疑者を、探し当てられるということです。

このWeb Scrapingを使った手法には、プライバシーを尊重する立場からは大きな懸念があります。*Facebook*や*YouTube*などのプラットフォームは、*Clearview AI*に対して、写真をScrapeしないよう必要な法的手段を取ると表明しています。

また、ヨーロッパの国々、特にイギリス、フランス、イタリアは*Clearview AI*のScrapingは個人のプライバシーを尊重する法律に違反するとして、そのビジネスの停止および罰金を求めています。

200

Clearview AI側は、犯罪者を捕まえ、社会の安寧をめざす行為は正当化されるとの立場です。しかしながら、個人のプライバシーを守るという観点から、Web Scrapingに何らかの制約を課すことは当然と思われます。

■■■ 例文

As AI technologies continue to advance, the possibilities for web scraping in terms of accuracy, efficiency, and versatility are only expected to grow. (*medium.com*)

■ **訳**　人工知能の技術が進化するにつれ、**web scraping**の可能性は、その正確さ、効率そして利用範囲において増進するに違いないと期待されています。

chapter 4

政治・法律

分断への危機感

大統領選挙、銃社会、人工中絶禁止……等。
"分断"につながる事象に関心が
高まっています。

Antifa
過激な左翼主義

　アメリカにおいて、政治的活動家の間での対立が際立っています。**White Supremacist**（白人至上主義者）などの**Alt-right**（極右）に対抗する勢力として、**Alt-left**（極左）があります。その中でも、**Antifa** と呼ばれる、過激な思想と実力の行使を特徴とする左翼勢力が台頭してきています。

　Antifa とは、ヨーロッパにおいて使われてきた**Anti-fascism**（反ファシズム）に由来する言葉ですが、アメリカにおいては、白人至上主義や極端な反移民政策などに対抗する極左の主張と言えるでしょう。ただし今の段階では、全国的に組織されたものではありません。

　数年前、バージニア州シャーロッツビルやカリフォルニア州バークレーで、極右と極左の活動家の衝突が発生し、死傷者が出ました。警備当局は、今後も右翼系の政治集会などで、Antifa による暴力的な抗議運動が発生する可能性を憂慮していると言われます。右であれ、左であれ、過激主義者（**Extremist**）の暴力的な性向が、健全な政治的議論を害さないよう多くの市民は願っています。

■ 例文

A handful repeated the conspiracy theory that antifa individuals were among the mob in a significant and organized way, but the vast majority did not, according to *NPR*'s analysis. (*npr.org*)

■ 訳　少数は **Antifa** 仲間がその（議会を攻撃した）群衆の中に大勢また組織されて存在したという陰謀論を繰り返しましたが、**NPR**（*National Public Radio*）の分析によれば、大部分は同調しませんでした。

Birth Tourism
（国籍取得のための）出産旅行

　何万人という外国人女性が、出産するためにアメリカに来ます。生まれた子供にアメリカ国籍を取得させる目的の**Birth Tourism**です。カリフォルニア州やフロリダ州で、旅行会社が病院とホテル（**Maternity Hotel**と言われる）、その他の生活支援をBirth Tourismのパッケージとして提供しています。高級なものは10万ドル近くもするそうです。

　Birth Tourismに関連して、母親や旅行パッケージの運営会社社員が訴追されたこともあります。入国の際に、旅行目的を偽ったりしたことなどが違法とされました。

　Birth Tourismはカナダのバンクーバーなどでも問題になっています。カナダはアメリカと共に、**Birthright Citizenship**（生得市民権）、つまり、自国領土で生まれた子供に自動的に国籍を認める数少ない先進国の一つです。利用者は中国人が大半を占めると言われますが、自国の政治体制の将来に不安を抱く人々には、カナダは魅力的な国なのでしょう。

　飛躍的に増加していると言われるBirth Tourismは、合法・違法のせめぎ合いの中で、アメリカ・カナダ両国に対し、誰に国籍を与えるかという、国家そのものについての根源的な問いを突きつけているとも言えるのです。

■ 例文

Birth tourism is a business where companies for a steep fee offer foreign women the chance to come the U.S. on a tourist visa, have a baby, get medical care, get citizenship, have a place to stay with their newborn, and then leave. (*AP News*)

■ 訳　**Birth tourism**とは会社が高い料金を取って外国の女性に提供するビジネスです。女性は、旅行者ビザでアメリカに来る機会を得て、出産し、医療を受け、（新生児が）国籍を取り、新生児と一緒にいる場所をもらい、そして最後に出国します。

Blame Game

責任のなすり合い

　論客たちは、アメリカ政治の停滞の原因は、政治家たちが **Play the Blame Game**（責任のなすり合いをする）ばかりだからと言います。Blame Gameは、まさにアメリカ政治の現状を表すキーワードの一つです。

　アメリカが直面する最大の問題の一つが、メキシコ国境における移民問題です。毎週、5,000人を超える **Asylum Seeker**（難民手続き申請者）と呼ばれる人々が国境に押し寄せます。移民局での手続きを避けて、不法に国境を越える人も多くいます。

　この問題の対応をめぐって、民主党と共和党はBlame Gameを繰り返していて、アメリカは有効な移民政策を講じることができていません。共和党は、民主党の甘い移民政策のため、国境に不法移民や不法な薬物が押し寄せると主張しています。これに対し民主党は、共和党の強硬な姿勢が移民に関する包括的な立法を阻止していると反論するのです。

　現在、ホワイトハウスと上院は民主党が握り、下院は共和党が多数派を擁する、ねじれ政治（**Divided Government**）の状況です。対話と建設的な妥協が必要とされる今、政治家たちにはBlame Gameに時間を空費している暇はないはずです。

例文

Nor should Congress wait to address the massive humanitarian crisis caused by our broken immigration system. Americans aren't interested in the blame game. They're interested in solutions. *(ACLU)*

訳 議会はまた、壊れた移民制度が引き起こす大規模な人道危機が起こることを待つべきではありません。アメリカ人は **blame game** には興味がない。解決方法を求めているのです。

Blue Wall of Silence
警察仲間の沈黙のかばい合い

　2021年12月、ミネソタ州の裁判所で、黒人ジョージ・フロイド氏を膝で抑えつけ殺害した白人警官に対して、殺人罪による有罪の評決が出されました。裁判で、この警官の上司が、問題の行為は警察の訓練指針に違反すると明確に糾弾したことが、評決の決め手となりました。

　2023年、ミネソタの上級裁判所は、白人警官からの控訴を退け、有罪が確定しました。この裁判にアメリカ社会は安堵し、専門家からは、Blue Wall of Silence、つまり「沈黙の青い壁」が崩壊する前兆かもしれないというコメントを幾度も聞きました。Blue は警官の青い制服を指し、Wall of Silence は仲間の非行に沈黙し、かばい合う体質を意味します。

　この公判中にも、裁判所近くで黒人青年が白人警官に撃たれて死にました。その女性警官の上司は、彼女が Taser（スタンガン）と「間違えて」ピストルを撃ってしまったと弁護しました。

　連邦議会においてフロイド氏の名を冠した警察改革法が論議されています。容疑者の拘束方法などの規制や警官の責任強化など、法的な改革は達成できるでしょう。しかし、Blue Wall of Silence という壁が崩れ、警察そのものへの信頼が取り戻せなければ、社会が望む真の改革にはなりません。

■ 例文

The international protests against racism and police brutality spurred by Floyd's death also may be a reason the blue wall of silence has crumbled, Butler said. *(nbcnew.com)*

■ 訳 フロイド氏の死によって火がついた、人種差別と警察暴力に対する国際的な抗議活動も、**blue wall of silence** が崩れた一因かもしれないと、バトラー教授は言いました。

Capitol Riot

米議会暴動

　2021年1月6日の首都ワシントンでの騒乱は、**Capitol Riot** として、アメリカ民主主義の歴史に大きな傷を残すことになりました。連邦議事堂（Capitol）にトランプ氏を支持する暴徒が乱入し、バイデン氏の大統領就任を認定する議事を妨害、その混乱の中5人が死亡しました（Capitolは議事堂の建物を意味し、首都Capitalと同じ発音ですが別語です）。

　初めは暴動の参加者は **Protester**（抗議人）と言われましたが、犯罪性が明らかになるにつれ **Rioter**（暴徒）と呼ばれるようになり、すでに1200人以上が刑事訴追され逮捕されました。その容疑は、不法侵入などの軽罪（**Misdemeanor**）から、**Sedition**（治安破壊）や **Insurrection**（反乱）などの重罪（**Felony**）まで多岐にわたります。Felonyとは、刑期が1年以上の重大犯罪のことです。

　本件に関連し、2023年、トランプ氏も国家に対する詐害などで訴追されました。その起訴状の中で、検察は「トランプ氏が大統領選で負けたにもかかわらず、その選挙開票は操作されたものと主張し、権力の座に居座り続けようとした」と述べています。

　Capitol Riotで大きく傷ついたアメリカ。バイデン政権は、民主主義の信頼回復という重責を背負うことになったのです。

■■ 例文

The U.S. Supreme Court is also set to weigh arguments about the scope of a felony charge brought in more than 300 Capitol riot cases, including the federal criminal case against Trump himself: obstruction of an official proceeding. (*npr.org*)

■ 訳 米最高裁は、**Capitol riot**事件において提起されている300以上の重罪訴追の範囲に関する論議についても検討することになっています。それには、トランプ氏自身に対する連邦上の刑事告発（公式手続きへの妨害）を含みます。

Classified Document

機密文書

Classify は分類するという単語ですが、**Classified Document** となると機密文書を意味します。つまり政府が守秘すると決めた文書で、法律の下、その保管方法は厳密に決められ、特別の権限（**Security Clearance**）を有する人しかアクセスできません。アメリカでは Classified Document には 3 つの分類があります。重要性のレベルは上から、**Top Secret**（機密）、**Secret**（極秘）、**Confidential**（秘）です。これらの文書の不適当な取り扱いは、連邦の刑罰の対象になり得ます。

　この数年、Classified Document という言葉がニュースの主要項目になりました。発端は、トランプ前大統領がフロリダの私邸 *Mar-a-Lago*（マール・ア・ラーゴ）に、300 件を超える大量の機密文書を所持していたことでした。報道によると、トランプ氏はそれを隠匿しただけでなく、当局からの返却要請に何カ月も抵抗し続けたのです。司法省のメリック・ガーランド長官は特別検査官を委任し、トランプ氏を起訴することを決めました。

　司法省の調査の行方を複雑にしているのが、トランプ氏の行為を批判してきたバイデン大統領の私邸や事務所でも機密文書が見つかったことです。加えて、ペンス元副大統領の私邸でも機密文書が発見されました。国立公文書館はブッシュ氏、オバマ氏、クリントン氏などの元大統領とゴア氏ら元副大統領に、保有する書類の自主調査を依頼す

る事態となりました。この展開に、米国民の間では、国の機密保持体制の危うさに驚きが広がっています。Classified Documentが厳重に管理されていることは、防衛上そして外交上、国家間の機密共有の前提条件です。日本としても、同盟国アメリカのこのような状況を無視することはできないでしょう。

■■ 例文

The FBI eventually recovered more than 300 classified documents from *Mar-a-Lago*, Trump's private club and residence in Florida, last year, according to government court filings. At least 10 documents were found in Biden's Washington think-tank office. (*The Washington Post*)

■■ 訳　政府が裁判所に提出した申し立てによると、FBIは昨年、フロリダのトランプ氏の私的なクラブで住居たる *Mar-a-Lago* から最終的に300を超える classified documents を取り戻しました。バイデン氏のワシントンのシンクタンクの事務所からは、少なくとも10以上の機密文書が見つかりました。

Court Packing
米最高裁の構成を政治的に操作すること

　米国最高裁判所は **U.S. Supreme Court of Justice** と呼ばれます。最高裁が果たす役割は、法的にはもちろん、政治的・社会的にも、日本の最高裁とは比べ物にならないほど大きいと言えるでしょう。

　Court Packing という言葉があります。米国最高裁判事の定員を増やし、政治的に操作することを意味します。**Court** は裁判所で、**Pack** は詰め込むことですが、1937年にルーズベルト大統領がニューディール政策遂行のため、最高裁判事の数を増やそうとしたことが Court Packing と呼ばれ、この表現が定着しました。

　最高裁の判事（通例の **Judge** ではなく **Justice** と呼ぶ）の定員は、1869年に9人と立法化されました。2024年現在、6人が保守派、3人が進歩派です。このうち、3人はトランプ氏が指名した保守派の判事で、とりわけエイミー・コニー・バレット判事はバイデン氏が勝利した2020年の大統領選挙の直前に指名されたことから、民主党サイドには強い反発があります。

　最高裁判事の定員数は、法律で変えることができます。実際、定員を3人増やし、進歩派の判事を指名することで、最高裁のバランスを回復する Court Packing を期待する民主党員は多いようです。

■■■ 例文

Court packing is increasing the number of seats on a court to change the ideological makeup of the court. (*Britannica*)

■■■ 訳　**Court packing** とは裁判所のイデオロギー構成を変えるために、定員の数を増やすことです。

Deep State
「影の政府」

　Deep State（影の政府）は、一般的には「国家の奥に潜む、時の政権を妨害する官僚や周辺の人たち」という意味ですが、以前のトランプ政権下においては、「軍、諜報機関、司法省その他に潜む、トランプ政権を倒そうとする秘密勢力」という意味で使われていました。トランプ前大統領が、元CIA長官のSecurity Clearance（国家機密情報へのアクセス）を撤回したことなどに対し、同氏が諜報機関や省庁の一部官僚をDeep Stateだと疑ったからだと、進歩派の論者は指摘しました。

　誰が大統領であろうとも、その政策に賛同できない官僚やロビーストは存在します。その人たちをあたかも秘密組織のように呼ぶのであれば、それは根拠のない陰謀論（**Conspiracy Theory**）と見なされます。

　結局のところ、Deep Stateという言葉は、政治的権限を有する側が、その政策の実行に困難を感じて、秘密裏にその政策を妨害する一派が内部にいることを疑う時に思い浮かべるのでしょう。Deep Stateなるものがアメリカ政府内に実在するのか……、それを客観的に示した例はありません。

President Donald Trump and his allies have continually railed about how the "Deep State" of unelected national security bureaucrats has quietly worked to undermine the Trump presidency. *(NBC News)*

■■ 訳　ドナルド・トランプ大統領とその周辺は、選挙で選ばれたわけではない国家保安関係官僚による Deep State がいかに彼の大統領政治を阻害したかと、ひっきりなしに批判を続けました。

Defund the Police!

警察に予算をつけるな！

　2020年5月、ミネアポリスで黒人ジョージ・フロイド氏が警察官に殺害された凶悪な事件を受けて、抗議活動が全米に広がりました。その中で、出現した **Rallying Cry**（雄叫び）が **Defund the Police** です。Defundとはファンディング（資金拠出）を停止することです。

　必ずしも警察を解体せよと言っているのではありません。現実的には、Defund the Police は、警察予算を削って貧困・医療対策、教育、住環境改善などのために振り向けることを意味します。このようなお金の使い方こそが、社会を安全にするという主張です。並行して、逮捕時の首締めの禁止など捜査手法に関する見直しも視野に入っています。

　黒人の命の尊重を訴える **Black Lives Matter** と共に警察の根本的改革を要求するDefund the Police。人種間の垣根を越える差別反対の声の高まりに、政治家や警察指導部はどう応えていくのか。アメリカ社会が本当に改革を成し遂げられるのかが問われています。

例文

Defunding the police means cutting the budgets of local law enforce-ment agencies and instead investing the money in community pro-grams, accessible housing and public health (including mental health care), **among other social needs.** (*Tampa Bay Times*)

訳 **Defund the police** の意味するところは、地元の警察関係省庁の予算を削り、そのお金を必要な社会政策、とりわけ住民用プログラム、安価な住宅や公的医療（精神衛生を含む）に投資することです。

[追記]

黒人の命の尊重を訴える Black Lives Matter と共に警察の根本的改革を要求する Defund the Police ですが、最近は保守派が進歩派を非難する際にこの言葉を使うようにもなりました。つまり、この表現の文字通りの意味を使って、警察から予算を取り上げることが犯罪を増やすことになる、つまりリベラル派の政治では社会の治安は悪くなるという批判です。

Dereliction of Duty
義務の放棄

　2022年、米国民は、前年1月6日の議会襲撃事件を調査している下院委員会の一連の公聴会に釘付けになりました。委員会は多くの証言と画像を提示し、トランプ前大統領本人が暴動を扇動したこと、そして、国を守る責任を放棄したと告発したのです。そこで使われたのが、**Dereliction of Duty**（義務の放棄）という言葉でした。

　あの日、暴徒たちは議事堂に突入し、警護に当たった人たちを殺傷し、大統領選でのバイデン氏勝利を認定する手続きを妨げました。彼らはペンス副大統領や議員たちの命まで狙ったと言われます。その事態に対してトランプ氏は、3時間強の間、テレビで注視するだけで、暴動を止めるための指示を一切しなかったことが明らかになりました。このことが大統領として、また軍の最高司令官として、国家を守る義務と責任を放棄（つまり Dereliction of Duty）したと言われているのです。

　この下院委員会の目的は、暴動（単に **January 6** と呼ばれます）の全容調査ですが、事実上は、トランプ氏の個人責任を追及し刑事訴追に導くことです。委員会の告発を受けて **Department of Justice**（司法省）がトランプ氏の訴追に至りました。これからの展開をアメリカ全体が注視しています。

■ 例文

In his closing statement, Rep. Adam Kinzinger, R-Ill., said former President Trump's conduct on January 6th was a "supreme violation of his oath of office," and a "complete dereliction of his duty to our nation", adding when the House select committee presents its full findings they will "recommend changes to laws and policies to guard against another January 6th". (*msnbc.com*)

■ 訳　イリノイ州の共和党下院議員アダム・キンジンガー氏は、最終弁論で こう述べました。1月6日議会暴動におけるトランプ前大統領の行動 は「職務宣誓に対する究極の違反であり、且つ、国への義務の完全な 放棄だ。それゆえ、下院特別委員会が全ての調査結果を公開する際に は、次なる議会暴動を阻止するための法律と政策を提案する」。

Dog Whistle
暗号メッセージ

　選挙が近づくにつれて、候補者の有権者に対する訴えは熾烈さを増していきます。その中で**Dog Whistle**（犬笛）という言葉をしばしば目にします。

　人間の耳には聞こえない高音を犬が認識することから、ある特定の人たちだけに暗号のように響くメッセージをDog Whistleと言うのです。それは表向きに発せられた言葉の裏側で、聞く耳を持つ人だけにわかる、符丁のような働きをすることになります。

　アメリカの歴史の中で、逃亡した黒人奴隷を探すのに猟犬を笛で導いたことから、Dog Whistleは人種に絡むメッセージに使われることが多いようです。

　例えば、保守陣営が多用する**Law and Order**（法と秩序）は、郊外に住む白人女性たちをターゲットにしたDog Whistleだという指摘があります。「法と秩序」が、低所得者住居を静かな郊外には建てさせないという暗号だというわけです。リベラル派のメッセージに何らかのDog Whistleが入っている可能性も否定できません。

　毎日、メディアで幾度となく流される両派からのメッセージ。それが額面通りに受け取れないとしたら……。有権者一人ひとりが試されていることを認識する必要があるのです。

■■ 例文

"This is a president who has used everything as a dog whistle to try to generate racist hatred, racist division," Biden said. (*apnews.com*)

- -

■ 訳　「この人は、人種的憎悪や人種間分裂をつくり出そうとして、何でもみな dog whistle として使った大統領です」とバイデン氏は述べました。

Echo Chamber
似た者同士の共感が増幅する場

　米社会の分断を象徴する言葉 **Echo Chamber**。元来の意味は、音楽スタジオなどで残響効果を出すための部屋ですが、社会的には、似た者同士の考えが **Echo**（こだま）のように反復し、増幅・拡散する現象を意味します。

　とりわけ、SNS上で好きな人の投稿をフォローしたり、共感したりするのを繰り返すことによって、本人が意識するかどうかは別として、特定の考えに染まり仲間意識が醸成されます。特にインターネットの世界では、個人の考え、性向、行動が収集・操作される結果、人々は無意識のうちに共感が駆けめぐる空間に閉じこもり、他の意見に触れなくなる事態が生じているのです。実際、過激な政治・社会集団が、このような Echo Chamber を巧みに使い、同志を募っているとの指摘もあります。

　Echo Chamber という現象は、ネット上だけではないかもしれません。テレビのニュースについて、進歩派の人は *CNN* などに、保守系の人は *Fox* などにチャンネルを合わせがちです。

　同様の言葉に **Filter Bubble** というのがあります。これは、ネットのプラットフォームが、利用者個人の検索履歴などに基づき、本人が読みたい情報ばかりを表示し、その結果、利用者が自分の嗜好の Bubble（泡）の中で孤立や分断が進む現象です。

人々がEcho Chamberにこもり、異なる視点の声を聞かなくなってしまうと、アメリカ社会はどうなってしまうのでしょうか。

■■■ 例文

What does an echo chamber do? Echo chambers serve many purposes, even if we have created one without really being aware of it. They reinforce our own biases. When you only have your views repeated back to you, it confirms what you are already thinking. (*https://www.learning-mind.com/echo-chamber-break-free/*)

■■ 訳　echo chamberは何をするのでしょうか？　echo chambersは多くの目的に資する……。我々がそれを本当に自覚しなくてもです。それは我々の偏見をより強固なものにします。あなたの意見がおうむ返しされるだけになったら、それはあなたがすでに考えていることを再確認させるだけのものです。

Fetal Personhood
胎児が人であること

　最近、全米で**Fetal Personhood**が大きな話題になっています。**Fetal**は胎児**Fetus**の形容詞形、**Personhood**とは人であること。先日、アラバマ州の最高裁が、胎児になる前の凍結胚（**Frozen Embryo**）のPersonhoodを認め、過失による胚の破壊が州法のもと懲罰的損害賠償の対象になり得ると判示したことが、米社会に衝撃を与えているのです。

　米国では不妊治療などの目的で、年間30万件以上の試験管内受精（**In Vitro Fertilization**略して**IVF**）が行われ、多数の凍結胚がつくられますが、この判決を受けて、アラバマ州のいくつかの病院では、IVFを停止すると発表しました。体外受精された胚が失われた場合、病院が大きな賠償責任、場合によっては刑事責任を負う可能性が出てきたからです。

　2022年、米国連邦最高裁は長く認められてきた妊娠中絶手術を受ける憲法上の権利を否定、その結果、南部の州を中心に中絶手術の実施が著しく困難になっています。その流れを受けて、今回のアラバマ州の判決は、子宮内の胎児を人とみなすFetal Personhoodの考えを、試験管内の受精卵・凍結胚にまで広げたのです（今後、**Embryonic Personhood**という言葉が使われると予想されます）。

　アラバマ州議会はこの判決の後、IVFで不妊治療をする医療機関の

法的責任を免除する法律を急いでつくり、IVFを継続させようとしています。ただ、この法律は受精卵・凍結胚が人なのかという点にまで踏み込んではいません。いずれにせよ、アラバマ州の最高裁の判決は、米国内での生殖に関する個人の権利（**Reproductive Rights**）に関する論議を、ますます複雑なものにするでしょう。

nonki 2024

■ 例文

After the Alabama Supreme Court ruled that frozen embryos deserve legal protections, reproductive rights groups are worried about fetal personhood bills in several state legislatures. (*NPR.org*)

■ 訳　アラバマ州最高裁が冷凍胚は法的な保護の対象となると判示したことを受けて、生殖に関する権利を守ろうとするグループは、複数の州議会で審議されている **fetal personhood** 法案の成り行きを心配しています。

Gag Order
箝口令

Gag Orderとは法律用語で箝口令(かんこうれい)という意味です。Gagは轡(くつわ)、つまり馬や犬の口にくわえさせる器具で、動詞としては発言を禁じることです。

今、裁判所がGag Orderをトランプ前大統領に発するかを米国民が注視しています。トランプ氏は2020年の大統領選でバイデン氏当選を阻止しようと違法行為を行った容疑で、検察に刑事訴追されました。トランプ氏はその容疑を否認するだけでなく、検察官、訴訟証人となる見込みのある人、加えて裁判官をも脅かす発言を繰り返しています。

この事態に、検察はトランプ氏の不適切な発言をすることを禁じるGag Orderを求めています。目的は、裁判が法定外での論議に左右されることを防ぐことであり、中でも、発言が関係者を脅したり、暴力を誘発したりする可能性を封じるためです。また、市民から選ばれる陪審員を、被告トランプ氏による威圧的な言動から擁護する意味もあります。

検察の主張について、トランプ氏側は、憲法修正第1条が保障する言論の自由(**Freedom of Speech**)を根拠として、来年の大統領選に出馬を表明している候補者へのGag Orderは認められないと主張します。アメリカの歴史上、元大統領が刑事訴追を受けた例はありません。そして、大統領選に出馬を表明する候補者にGag Orderを出すことがで

きるのかが、過去に論議されたこともありません。

　裁判所はトランプ氏に Gag Order を発するのか、その場合、その範囲・条件はどうなるのか。それに対してトランプ氏がどのような反論・抵抗をするのか……。本件刑事裁判の前哨戦として、Gag Order をめぐる戦いは苛烈なものとなりつつあります。

■■■ 例文

The motion for a limited gag order by special counsel Jack Smith's team recited a litany of incendiary claims by the former president. Trump has disparaged the court, the prosecution and the prosecutors; threatened to pollute the jury pool; and heightened the risk of attacks on prospective witnesses and court personnel. (*Los Angels Times*)

■■■　訳　特別捜査官ジャック・スミス氏のチームが求める限定的 **gag order** の申し立てには、前大統領による多くの扇動的な主張が列挙されています。トランプ氏は裁判所、検察そして検察官を非難し、陪審候補者たちを混乱させると脅し、加えて、証人候補者や裁判所関係者へ暴力行為が及ぶリスクを高めました。

Genetic Genealogy
遺伝子ベースの系図（を使った犯罪捜査）

　今、アメリカの犯罪捜査で大きな話題になっているのが、**Genetic Genealogy** です。Genetic は **Gene**（遺伝子）の形容詞、**Genealogy** は系図学、つまり遺伝子分析によって作成される系図をもとに、犯人を探す手法のことです。発端は2018年に、迷宮入りしていたカリフォルニア州の Golden State Killer（黄金州の殺人鬼）と呼ばれる連続殺人犯が、この手法で特定され逮捕に至ったことです。

　従来の警察の手法が、現場に残された犯人のDNAを、警察に蓄積されている検挙者のデータベースと照合してきたのに対し、Genetic Genealogy は、民間の家系図サービス（自分の祖先を調べたり、親戚を探したりするサイトで、*23andMe* と *AncestryDNA* という会社が有名）に提供されているデータを捜査に使うのです。

　Golden State Killer 事件の解決以降、この手法を使った捜査により、数百の事件が解決したそうです。警察関係者は、Genetic Genealogy がこれからの犯罪捜査の基本的な手段となることを期待しているようですが、当然ながらプライバシーに関する懸念が各方面から出ています。重要事件の捜査とプライバシーの尊重、双方のバランスをどう取っていくのか、慎重に見極めねばなりません。

■■■■ 例文

What is genetic genealogy? It's an emerging field that combines DNA evidence and traditional genealogy to find biological connections between people. (*CNN.com*)

‑‑‑

■ **訳** **genetic genealogy**とは何でしょうか？　それはDNA証拠と伝統的な系図学を組み合わせて、人と人との血縁関係を見つけようとする、新たに出現しつつある分野です。

Gerrymander

特定の党や候補者を利するために、選挙区の形を操作すること

　今、アメリカ政界で改めて注目されている言葉が **Gerrymander**。特定の党や候補者を利するために選挙区の境を決めたり、変えたりすることです。2019年6月、米国最高裁は、メリーランド州とノースカロライナ州の議会選挙区の境界が党派的な Gerrymandering で憲法違反だという訴えを、「政治問題」（**Political Question**）として退け、それを正すことができるのは議会・立法府であり、裁判所ではないと判示したのです。

　選挙区の地図を改変することは、昔から行われていました。Gerrymander という言葉自体がそれを示します。1812年、マサチューセッツ州のエルブリッジ・ゲリー知事が、州議会選挙の選挙区を自分の政党に有利な形につくり替えました。その形が **Salamander**（火の中に住むという伝説上のトカゲ）に似ていたことから、Gerrymander と呼ばれることになったのです。

　2019年の判示は、最高裁判事9人のうち保守派を中心とする5人の賛成で下されたもので、進歩派の論客は、最高裁が法律の番人としての責任を放棄し、州議会の多くを牛耳る共和党に肩入れしたのだと批判します。党派的な議論はともかく、選挙で選ばれる立場の議会が選挙の区割りの最終決定権を持てば、公正な選挙は期待できないと思いますが、いかがでしょう。

■■■ 例文

In the end, the Supreme Court decided, 5-4, that the question of partisan gerrymandering was a political one that must be resolved by the elected branches of government, and not a legal question that the federal courts should decide. (*The New York Times*)

....

■■ 訳　最終的に最高裁判所は、5対4の過半数で、党利的な **Gerrymandering** は立法府によって解決されなければならない政治問題であり、連邦裁判所が決定すべき法律問題ではない、と判示しました。

Ghost Gun
（追跡できない）手作り銃

2023年11月、ルイジアナ州ニューオーリンズの連邦裁判所はバイデン政権が定めた **Ghost Gun** に関する規制を憲法違反だと裁定しました。Ghost Gun（幽霊銃）とは、個人が製作キットを買い、部品を組み立てて作ることができる銃のことで、メーカーの通し番号がなく、持ち主を追跡することは困難です。

銃による大量殺傷事件が多発するアメリカ……。バイデン大統領はこれを国家の恥として、銃規制を政策の最重要課題に挙げます。その第一歩として、Ghost Gun の主要部品に通し番号を付けさせ、加えて買主の身元調査の対象とする取り締まり規則を制定したのですが、連邦裁判所は、銃の規制をする権限は議会立法府にあり、行政府にはないとしたのです。

憲法の規定により、市民に銃を持つ権利を与えるアメリカ。共和党議員の多くは、銃の規制そのものに反対です。しかし、市民の多くは合理的な銃規制に賛同しています。Ghost Gun の取り締まりを第一歩として、バイデン政権が国民の支持をベースに共和党を説得し、議会において実のある銃規制立法を成し遂げられるのか、アメリカ社会の安定そのものがかかっています。

■ 例文

There's no background check and no serial number, making ghost guns invisible to police and almost impossible to trace when used in a crime.

(*www.cbsnews.com*)

- -

■ 訳　身元調査もなければ通し番号もないため、**ghost guns** は警察の目をかいくぐり、犯罪に使われても追跡するのがほとんど不可能です。

Havana Syndrome
ハバナ症候群

　2021年7年、オーストリアのウィーンで**Havana Syndrome**が発生したという報道がありました。アメリカの外交官など二十数名が、突然激しい頭痛、めまい、難聴、視力障害などの症状に襲われたのです。2016年、キューバの首都ハバナの米大使館で外交官やCIA職員が同様の症状を経験し、その後、中国やインドなど世界各地で発生した同じような事態の発端となったことで、Havana Syndromeと呼ばれます。

　原因は音波かマイクロ波を使ったロシアまたは中国の仕業？　外国勢力の仕業としてもその目的は？　人身攻撃、業務妨害、秘密情報へのアクセス？

　大きな疑問が生まれる中、アメリカ政府はHavana Syndromeの原因を突き止めようと本気で乗り出しました。2023年3月、CIAおよび他の米情報機関は、数年にわたる調査の結果、Havana Syndromeはロシアなどの外国からの攻撃ではないと発表し、一応の決着をつけました。しかし、多くの人が症状に苦しんだことはこの調査も否定しません。本当の原因は、いまだに謎に包まれているのです。

例文

Havana Syndrome is a series of unexplained medical symptoms first experienced by U.S. State Department personnel stationed in Cuba beginning in late 2016. (*The Wall Street Journal*)

訳　Havana Syndrome とは、キューバに駐在した米国務省職員が2016年後半から経験した、説明のつかない一連の医学的な兆候のことです。

Heartbeat Law
事実上の人工妊娠中絶禁止法

　人工妊娠中絶を認めるかどうかは、アメリカ政治・社会が直面する大きな争点です。1973年のRoe対Wadeという最高裁判決により、原則として女性の中絶の権利がアメリカ憲法の下で認められてきました。しかし、キリスト教保守層を中心とする中絶反対派（**Pro-life**）は、この判例に異を唱え、賛成派（**Pro-choice**）と長年激しい争いを演じてきました。

　その中で、トランプ氏が、最高裁判事に2人の保守派の裁判官を任命したことが中絶反対派を勢いづけ、2022年、ついに最高裁はこの先例を覆しました（Dobbs判決と略称されます）。

　この結果、人工中絶の取り扱いは、各州に委ねられることになりました。その論議の中で出てくるのが**Heartbeat Law**です。「胎児の心鼓動（**Fetal Heartbeat**）が聞こえるようになる」妊娠6週間より後は、人工中絶を認めないとする法律です。規制には多少の差異はありますが、これまで南部を中心にミズーリ州、アラバマ州、テキサス州、ジョージア州など多くの州議会が決議しています。

　Heartbeat Lawに関しては、アメリカ医学会から、胎児の本当の心鼓動は妊娠から20週近くまでは検知できないという指摘があります。その意味において、Heartbeat Lawは事実上、人工妊娠中絶手術を認めないとする法律です。

世論調査によると、米国民の多数は人工妊娠中絶手術を容認しています。しかし、Dobbs判決によって、憲法の下での女性の決定権が失われた今、Heartbeat Lawがどこまで広がるのか、Pro-choice側の懸念は深まるばかりです。

■■■ 例文

Women's Med Center, which is located in Kettering and one of only two abortion clinics in Southwest Ohio, stopped providing abortions when the Heartbeat Law took effect. (*Dayton Daily News*)

■ 訳　ケターリングにある、南西オハイオ州に2つしかない人工中絶クリニックの一つの女性医療センターは、**Heartbeat Law** が有効になった時、中絶医療の提供をやめました。

Identity Politics
アイデンティティー政治

Identity とは「自分は何者か」ということ。そして、アメリカの政治の場で台頭してきた言葉 **Identity Politics** は、人種、宗教、階級、性別、性的指向などを理由に虐げられていると感じる人々が、政治への働きかけを通じて自分たちの地位向上をめざす動きです。

黒人などのマイノリティによる人権運動がその例として挙げられますが、それに反発する白人の政治運動も Identity Politics であり得るのです。また、LGBTQ（性的少数者）による運動のように、すでに Identity Politics は社会に大きな変化をもたらしています。

民主政治の基礎になる選挙において、進歩的とされる民主党、対する保守的な共和党という広い視野で政治を見る伝統的な枠組みがあります。しかし、Identity Politics の高まりは、その枠組みにとらわれず自身のアイデンティティーにとっての益になるかどうかで、投票先を決める国民が増えていることを意味します。

大統領選挙を見据えて、民主党、共和党がこれから激しい票争いを繰り広げるでしょう。その中で、政党そして候補者たちが Identity Politics にいかに対応し、さらには取り込もうとするのか……。アメリカ政治を理解するための大事なキーワードになりました。

例文

例文

Identity politics, for all its faults, is not opposed to an encompassing national vision. It is a step toward its fulfillment. *(The Washington Post)*

訳　Identity politics にはいろいろな問題があるでしょうが、包括的な国家としての理想像に反対するものではありません。それを達成するための一歩なのです。

Nothingburger
中身のない空騒ぎ

　アメリカ政治の世界で耳にする言葉、**Nothingburger**。何も挟まれていない（Nothing）、つまりチーズもベーコンも、ひき肉さえも入っていないハンバーガーとは、中身のない空騒ぎという意味です。

　保守派と民主派の政治論議を聞いていると、相手の主張をきっちり聞くことをせずに、Nothingburgerと切り捨てることがよくあります。アメリカの政治的論議が空虚なものになっていることを象徴するようなNothingburger。

　保守系のメディアは、*January 6*と略称される議事堂襲撃をトランプ氏がそそのかしたとされることについて、「つくり話で何の根拠もないBig Nothingburgerだ」と主張します。

　進歩派のギャビン・ニューサム知事（カリフォルニア州）は、共和党の大統領選の論戦の感想を聞かれて、Nothingburgerだったと切り捨てました。

　もちろん、Nothingburgerは政治の世界だけで使われる言葉ではありません。お題目だけ立派で面白くないショーも、具体性がない企画書もNothingburgerだと一蹴されます。人をNothingburgerと言ったら「中身のない奴」ですから、これはかなりの侮辱です。この表現、不毛な論議を助長するだけに思えますが、一方で、アメリカらしいと言うべきでしょうか……。

Reporters asked Gov. Newsom for his takeaway of the night. "That there was no takeaway," Newsom said. "I mean, this is a nothing burger you will forget. In the next 72 hours, none of you will be talking about this debate."*(CBSNews)*

■■ 訳　記者たちはニューサム知事に昨晩（の論戦で）心に残ったことは何かと聞きました。ニューサム知事の答えは、「何にも残っていない、何というか、あれは忘れられる **nothingburger** だ。72時間経ったら、誰もこの論争のことは話してないよ」。

Pathway to Citizenship
（不法移民のための）市民権への道筋

　1,100万人にのぼる **Undocumented Immigrants**（滞在許可を欠く移民つまり不法移民）を抱えるアメリカは、その扱いに正面から取り組むことを長く避けてきました。バイデン大統領は、政権を取得後、彼らに市民権を得るまでの道筋 **Pathway to Citizenship** を提示しようとしています。

　2021年、民主党は、子供の時に連れてこられた **Dreamers** と呼ばれる不法移民や、アメリカ農業を下支えしている不法農業従事者を合法化し、その後 Pathway to Citizenship を与える法案を下院で通過させましたが、上院では共和党の反対により成案を得ることができませんでした。

　Dreamers は、*DREAM Act*（*Development, Relief, and Education for Alien Minors*）という、不法移民を救済する法律の頭文字からそう呼ばれます。

　バイデン大統領の最終目標は、包括的な移民法を成立させ、一定の条件を満たす不法移民に、5年の労働許可プラス3年の永住権を経由する8年越しの Pathway to Citizenship を提供することです。法案に対し、共和党議員の多くは、法律に違反する人々を恩赦すべきではないし、不法移民の大量合法化は多くのアメリカ人を失業に追いやるだろうと反対しています。

　現実に社会・経済の一部でありながらも、強制退去のリスクに怯えながら生活してきた人々が、市民として安心して働ける道筋を得られるのか……。アメリカ政治の実行力が問われています。

例文

The House on Thursday passed a bill that would create a pathway to citizenship for millions of "Dreamers," undocumented immigrants brought to the U.S. as children, with bipartisan support, but it will likely face an uphill battle in the Senate. (*usatoday.com*)

訳

下院は木曜日、数百万の **Dreamers**（子供の時にアメリカに連れてこられた不法移民）に **Pathway to Citizenship** を与える法案を、超党派の賛成をもって成立させました。しかし、この法案は上院において困難な争いに直面することが予期されています。

Prisoner Swap

囚人交換

Prisoner Swap という言葉が、2022年12月のニュース面を賑わせました。Prisoner は囚人、Swap は交換すること。ロシアへの空路入国時に少量の大麻を所有しているのが見つかり、9年の禁固刑を言い渡されたアメリカ女子バスケットボール・スター、ブリトニー・グライナー選手が、2国間交渉の後、囚人交換という形で帰国しました。ロシアが求めた交換の相手は、殺人などの容疑で、アメリカの刑務所で25年の刑に服していた武器商人、ビクトル・ボウト氏でした。

今回のような Prisoner Swap は、戦争捕虜（**Prisoner of War** 略して**POW**）の交換とは性格が異なります（ロシアとウクライナの間でもPOWの交換をしている）。戦争に関係のない民間人の囚人同士を交換するのは、超法規的な特別措置で、日本がこの種の Prisoner Swap を行った事例は聞いたことがありません。

囚人交換で自国民を取り戻すという手法については、アメリカでも論議があります。懸念されるのは、罪のないアメリカ人が交渉材料（**Bargaining Chip**）として外国に捕まり拘束される可能性です。現実として非友好国が、数十人のアメリカ人を **Hostage-taking**（人質として拘束）していると言われ、中国、ロシア、シリア、イラン、ベネズエラなどが名指しされています。

バイデン政権は今回の囚人交換で、グライナー選手と共に、反スパ

イ法違反としてロシアで収監されている元海兵隊でビジネスマンのポール・ウィーラン氏の解放も強く求めました。しかし、ロシアはそれを認めず、米国民の怒り・失望が広がっています。Prisoner Swap は、今後も米外交の大きな焦点の一つとなるでしょう。

■■■ 例文

President Joe Biden gave final approval for the prisoner swap freeing Griner over the past week, an official familiar with the matter has told *CNN*, adding that the president was updated on the swap as it took place. (*CNN*)

■ 訳　グライナー氏を解放させた先週の **prisoner swap** には、ジョー・バイデン大統領が最終承認を与えたと、本件をよく知る政府職員が *CNN* に述べました。同氏によると、大統領はこの交換が実行される間、刻々と報告を受けたといいます。

Red Flag Law
銃器没収法

　2022年5月、テキサス州ユバルディで19人の子供が学校で射殺された事件を受けて、超党派の妥協の下、銃規制に関する連邦法が成立しました。その中で、21歳未満の銃購入希望者に対する身元確認調査の強化に加え、**Red Flag Law** を各州で施行することを推奨し、必要な予算を連邦から拠出することが決まりました。

　Red Flag（赤旗）とは危険信号という意味です。例えば、肌が黄色くなるのは肝臓病を疑わせる Red Flag だと言われます。銃規制の Red Flag Law は、銃を一時的に没収することを認める法律です。行動や精神的状況から、特定の銃所有者が第三者または本人（自身）に危害を及ぼす可能性があると家族や医師、警察当局などが判断した場合、彼らの申し立てに基づき、裁判所が命令を下します。

　銃規制を推進する民主党は、Red Flag Law に加えて、攻撃用武器（**Assault Weapon**）の禁止または年齢制限などを強く求めましたが、NRA（全米ライフル協会）の支援を受ける野党共和党議員の反対を押し返すことはできませんでした。

　Red Flag Law を広める立法は、買主の身元調査の強化とともに、不十分ながらも前進です。これをステップとして、本当に有効な銃器規制に繋がることを期待しています。

■■ 例文

The legislation, which passed the House 234-193 Friday night following Senate approval Thursday, includes incentives for states to pass so-called red flag laws that allow groups to petition courts to remove weapons from people deemed a threat to themselves or others. (*NPR*)

・・

■■ 訳　木曜日に上院で承認された後、金曜日に下院で賛成234票、反対193票で通過したこの新法は、いわゆる **red flag laws** を州が制定するための資金を援助します。これは、本人自身または他人へ危険を及ぼすと見なされる人物から武器を取り上げることを、関係者が裁判所に請求することを認める仕組みです。

[追記]

2022年7月4日のアメリカ独立記念日にイリノイ州ハイランド・パークで発生した銃撃事件で7人が死亡し、数十人が負傷しました。捕まった21歳の男の過去の異常な言動に警察は気づいていたにもかかわらず、同州の Red Flag Law が働かなかったことに、この法律を改良・強化する必要性が議論されています。

Reparations (for Black People)
黒人に対する歴史的損害の賠償

Reparation は損害への賠償という意味ですが、最近アメリカでは、奴隷制度や解放後も続いた黒人への差別に対する公的な償いという文脈で使われ、**Black Reparations** とも表現されます。Reparations を訴える人たちは、奴隷制度そして彼らが受けてきた過去の不当な扱い（**Jim Crow** と総称される）の延長上に、資産・所得格差、そして教育・医療・住宅などにおける現実の差別待遇が存在するとしています。それらに対する償いの方法として、政府からの謝罪、金銭支給、不当に取り上げられた土地や財産の返還、奪われた教育や医療機会の回復などを主張します。

1619年に初めてアフリカから奴隷として連れてこられて以来、黒人層は長い間、発展するアメリカ社会の底辺で搾取され続けました。彼らが経験した苦難の歴史を理解し、心を痛める白人は多いでしょう。しかし、過去の苦難に対して償いをすることは、法的にも政治・財政的にも簡単なことではありません。その中で、2020年10月にカリフォルニア州において Reparations を検討する公式の委員会が設置され、償いの対象、規模、方法などを論議しており、その行方に関心が高まっています。

Reparations を求める動きは、徐々にニューヨーク州を含む他州においても広がりつつあり、今後、米国民全体に歴史そのものへの難しい

問いを突きつけるでしょう。アメリカという国を理解するために、我々もこの論議に注目していかなくてはならないと思います。

■■■ 例文

A controversial draft reparations proposal that includes a $5 million lump-sum payment for each eligible Black person could make San Francisco the first major U.S. city to fund reparations, though it faces steep financial headwinds and blistering criticism from conservatives.

(*https://apnews.com/*)

- -

■■ 訳　黒人の有資格者に対する500万ドルの一時金支給など、**reparations**に関して論争の余地のある提案がもし成立すれば、サンフランシスコは**reparations**のための資金を拠出するアメリカ初の主要都市となるでしょう。しかしながら、この提案は財政的な困難と保守派からの強烈な批判に直面しています。

Seditious Conspiracy

暴動扇動共謀罪

　2021年1月6日に、首都ワシントンで起きた議会暴動について、司法当局は、極右団体 *Oath Keepers* のメンバーの多数を **Seditious Conspiracy** の容疑で訴追しました。Seditious は Sedition（反政府暴動扇動罪）の形容詞で、現実の暴力行為や言動をもって政府の権限を崩壊させることです。そして、Conspiracy とは犯罪の共同謀議を意味します。

　Sedition と同様の言葉に、**Insurrection** と **Treason** があります。国に反抗するという意味で、この3つの言葉には共通性がありますが、その重点が異なります。Sedition は反政府の暴動を扇動、つまりそそのかすこと、Insurrection は現実の暴動行為を行うことがその中心にあります。そして、最も深刻な Treason は国家に対する反逆という意味で、国家へ戦争を挑みまたは敵国に加担することを意味します。

　暴徒が連邦議事堂に乱入し、バイデン氏の大統領就任を認定する議事を妨害したこの事件では、不法侵入、器物損壊や暴行などの通常犯罪の疑いですでに1,000人以上が起訴されています。しかし、最長で20年の刑期が科せられる重罪、Seditious Conspiracy での訴追は重大な進展です。

　これを受けて、2023年に司法省はトランプ前大統領を、政府の正式な手続きの進行を妨害した（バイデン氏への権力移行を不法に阻止し

ようとした）として、起訴しました。この刑事手続が今後どのように
発展していくのか、2024年の大統領選挙に立候補しているトランプ氏
の命運がかかっています。

■ 例文

Rhodes and 10 others are charged with seditious conspiracy for al-
legedly plotting to prevent by force the transfer of presidential power
to Joe Biden. (*npr.org*)

- -

■ 訳　（極右団体 *Oath Keepers* の）ローズと他の10人は、ジョー・バイデン
への大統領権限の移行を武力で阻止する陰謀を企てた容疑で、
seditious conspiracy により訴追されています。

Snitch

他人の罪を密告する（人）

Snitch とは密告すること、また密告者です。学校で友人の悪事を先生に告げ口するような場合にも使われます。刑事手続きに関しては、当局に他人の犯罪を暴露して、自分の罪を軽減してもらうことを意味します。

数年前、メディアでこのSnitch という言葉が頻繁に顔を出したのは、トランプ前大統領の古くからのフィクサー（事件解決屋）として働いたマイケル・コーエン弁護士が、トランプ氏と袂を分かった時でした。

コーエン弁護士は、大統領候補だったトランプ氏のため、不倫関係にあったと言われる雑誌のモデル女性への口止め料の支払いを実行しましたが、その事件におけるトランプ氏の直接的な関与を白日の下に晒し、検察から寛容な扱いを受けたと言われています。

Snitching は犯罪人を見つけることに役立ちますが、一方で、刑事司法制度に対して、有害な側面があるとの指摘もあります。現実に虚偽のSnitching により、罪のない人が逮捕される例があります。また検察がSnitching に頼りすぎて、十分な捜査や証拠収集を怠ることもあるとの指摘があるのです。Snitching はアメリカ刑事体制の中でどのような役割を果たしているのか、慎重に見極めねばなりません。

Make it clear that snitching for snitching's sake doesn't fall within the definition of professional conduct, and it won't be tolerated. *(grapevine-evaluations.com)*

■■ 訳　告げ口をすることだけが目的の告げ口は、職業人としての品行という定義には入らず、容認はできないことを明確にしてください。

Sore Loser
負けを潔く認められない人

　2020年の大統領選挙の結果を受け入れないトランプ前大統領を、バイデン支持派は **Sore Loser** だと痛烈に批判します。Soreはヒリヒリ痛いという意味ですが、米語ではイライラするという意味もあり、負けをなかなか認められない人という慣用句です。

　反対に、潔く負けを受け入れられる人は **Good Loser** と言います。

　アメリカの歴史において、大統領選での敗者が勝者にお祝いの電話をして、その後、敗北受諾演説（**Concession Speech**）をすることが伝統になっています。これを受けて、勝者が勝利宣言（**Victory Speech**）をすることで選挙が決着します。特に、現役の大統領が再選されなかった場合、このステップは政権移行（**Transition**）のために最も大事な第一歩となるのです。

　アメリカ政治の伝統に背を向けていたトランプ氏が、往生際の悪いSore Loserになったのは、驚くほどのことではないかもしれません。しかし、スムーズな政権移行は国家の内外において安全保障を担保するものです。トランプ氏が利己を超え、国のためにGood Loserとして振る舞ってほしかったと、多くの米国民は望んだものと思われます。

■ 例文

We all expected President Donald Trump to be a sore loser. But I didn't expect he would attempt to subvert our democracy by spreading totally unfounded conspiracy theories and outright lies with no evidence. (*www.star-telegram.com*)

■ 訳　トランプ大統領が sore loser となることは、皆予期していました。しか
　　　し、彼が全く根拠のない陰謀論と証拠がない露骨な嘘を吹聴して我々
　　　の民主主義を転覆しようとするとは、私は思いもしませんでした。

Spoiler Candidate

「壊し屋」候補者

　今年のアメリカ大統領選挙は、民主党の現職バイデン大統領と共和党の前大統領トランプ氏の一騎打ちになることがほぼ確実です。その選挙報道の中でよく出てくる言葉、**Spoiler Candidate**は、当選の見込みはないが有力候補から票を奪い、戦況を左右し得る候補者を意味します。Spoilとは壊す、ダメにするという意味です。過去の大統領選挙において、Spoiler Candidateが最終的な結果に影響を与えたことが幾度もありました（ちなみに、いわゆる泡沫候補は **Fringe Candidate** と言います）。

　メディアが注目しているのがロバート・ケネディ・ジュニア氏の動向です。リベラル派を代表したケネディ元司法長官の息子で、ずっと民主党員でしたが、今は **Independent Candidate**（独立候補者）として、大統領選に出馬しています。このケネディ氏がバイデン大統領の票を奪う Spoiler Candidate になるのではないかと民主党は恐れています。同じ懸念を抱くケネディ一族の殆どは、このケネディ氏の出馬に反対し、バイデン氏を強力に支持しています。

　ケネディ氏はトランプ前大統領にとっても Spoiler Candidate となる可能性があると、指摘する専門家もいます。共和党員の中にも、Never-Trumper というトランプ反対派が存在し、ケネディ氏が彼らの受け皿になり得るからです。

また、バイデン氏もトランプ氏も嫌いだという **Double Hater** という人たちが相当数いるとも言われています。Spoiler Candidateのケネディ氏や他の独立候補者が、選挙結果にどのような影響を与えるのか……大統領選挙の行方は混沌としているという他ありません。

■ 例文

Why Kennedy could be a spoiler candidate. What's unusual this year is the sheer number of disaffected voters who don't like either Biden or Trump and just want someone – anyone – as an alternative. *(Vox.com)*

■ 訳　なぜケネディが **spoiler candidate** になり得るのか。今年がいつもと違うのは、不満だらけの有権者の数の大きさです。彼らはバイデンもトランプもどちらも好きでなく、誰か、本当に誰でもいいのですが、代替になる候補者を求めているのです。

Student Loan Forgiveness

学生ローン返済免除

　2023年6月、アメリカ連邦最高裁は、バイデン大統領が強く進めていた連邦政府からの**Student Loan Forgiveness**を無効と判示しました。**Forgive**とは借金を帳消しにするという意味です。学生ローンを借りている人々は4,500万人以上と膨大な数にのぼり、その返済に苦しむ人々の救済が大きな社会問題です。

　バイデン政権は、コロナ禍によるパンデミックを緊急事態と認定する形をとって、学生ローンの大半について、一定の条件の下、一人当たり最大2万ドルまでをForgiveする計画でした。しかし、今回、保守派が多数を占める最高裁は、大統領がこのような大規模な債務を免除するためには、議会の承認を得なければならないと判示したのです。

　ローンを免除されること（借主からすれば**Debt Relief**という）を期待していた人々の間では、失望と困惑が広がっています。しかし、野党共和党は学生ローンを受けていない87％のアメリカ人が、受けている13％の借入者の代わりに（税金で）払わされるようなことには反対するとして、返済免除を承認するのに消極的です。

　Student Loanで苦しむ人を救うことを公約に掲げてきたバイデン氏は、国民へ向けた演説で最高裁の決定を非難し、改めて別のアプローチでの返済免除を図ると言明しました。それに対して共和党、そして最終的には最高裁がどう対峙していくのか……。Student Loan

Forgivenessはアメリカ政治の重要な争点になりました。

■■■■ 例文

How Biden can try again on student loan forgiveness. The White House finalized a new student-loan proposal within hours of the Supreme Court striking down its ambitious plan to forgive student debt, and President Biden pledged that there will still be more to come.
(*https://www.axios.com/*)

■ 訳　バイデン氏は、どのように student loan forgiveness を再度試みるので しょうか。学生の債務を免除する野心的な計画を、最高裁が打ち砕い たその数時間後、ホワイトハウスは、学生ローンに関する新たな方策 を決定しました。そして、バイデン大統領はまだやれることはあると 誓いました。

Trump's Indictment

トランプ氏起訴

　アメリカのニュースはトランプ前大統領の **Indictment**（起訴）を、連日のように伝えています。最初の容疑は不倫の相手（ポルノ女優）に対する口止め料の支払いでした。これに関する経理・税務上の不正が **Felony**（重罪）とされているのです。Indictment は刑事手続きの始まりを意味するだけで、**Conviction**（有罪）ということではありません。ここで、通常の刑事手続きに関する米語をおさらいしましょう。

　まず、市民で構成される **Grand Jury**（大陪審）が、**Prosecutor**（検察官）の提示する証拠をもとに、被告人を起訴するだけの **Probable Cause**（相当な理由）があるかを吟味し、多数決で Indict するかを決定します。起訴された人は逮捕され、**Arraignment**（罪状認否）という手続きで、裁判官の前で検察官から容疑の中身を知らされ、そこで、その容疑を肯定または否定します。トランプ氏はこの案件の Arraignment で34件に至る重罪を示されましたが、全てに「Not Guilty」と容疑を否認しました。裁判官はこの段階で、容疑者を拘束するか、**Bail**（保釈金）を払わせて保釈するかを決めますが、トランプ氏は保釈金なしで釈放されました。

　この後、弁護側から裁判所へ **Pre-trial Motions**（公判前申し立て）の提起や、当事者間で **Plea Bargaining**（司法取引）の交渉がなされます。その過程で、裁判官による **Dismissal**（公訴棄却）または司法取引

の成立がなければ、最終的に **Trial**（公判）に進みます。トランプ氏は
すでに司法取引には応じず、裁判官に公訴棄却を要求すると言明して
います。公判において検察と弁護側が証拠・証人を駆使する弁論の後、
陪審（上の大陪審と区別するため小陪審 **Petit Jury** とも言う）が、検察
の立証は **Beyond a Reasonable Doubt**（合理的な疑いの余地がない）
であると全員一致で判断すれば、有罪が決定されます。

　トランプ氏をめぐっては、この案件に加え、3つの事案で訴追され
ています。つまり、*January 6* と略称される国会議事堂襲撃、ジョージ
ア州での先の大統領選への不当介入、Classified Documents（機密文書）
の不正な扱い。これらの事案の成り行きが、今年の大統領選に出馬を
宣言している同氏の選挙活動にどう影響するのか、全米が注視してい
ます。

Ultra-MAGA Republican

超MAGA共和党員

　共和党のトランプ支持層は**Ultra-MAGA Republican**（超MAGA共和党員）と呼ばれることがあります。**MAGA**とは、トランプ氏の標語 "Make America Great Again" の略です。

　大統領選挙結果を受け入れず、連邦議会を襲ったトランプ氏支援者を、進歩派は民主主義を否定するものと断罪します。加えて、政策面でも合理的な銃規制にも人工中絶にも反対する彼らの主張は、アメリカの大多数の意見ではないと強く非難しています。バイデン氏はトランプ支持層につき、**Semi-fascism**（準ファシズム）という言葉さえ使い、メディアを驚かせました。

　バイデン氏はこれまで国の統合という観点から、トランプ支持者に対しても慎重な言葉遣いで対応していただけに、Ultra-MAGA Republicanという言葉を使った攻撃は、選挙戦略の計算された転換かもしれません。

　これらのバイデン氏の発言に対して、トランプ氏は「彼こそ国家の敵だ」と逆襲し、共和党議員たちも、対話を拒否して国の分断を図るものとして反発しています。両党の間でこれから繰り広げられる応酬を考えると、アメリカ分断の暗部を見る思いがします。

■■■ 例文

He has started using this new term, ultra-MAGA Republicans, and it's
sort of a catchall to highlight the most extreme elements, as he would
say, of the Republican Party - everything from election denial to pro-
posals to outlaw abortion or changes to Medicare and Social Security.
(*npr.org*)

■■ 訳　彼（バイデン氏）はこの **ultra-MAGA Republicans** という新しい表現を
　　　使い始めました。これは共和党の（彼が言うだろう）最極端の要素を
　　　強調する、いわば合切袋だ……。つまり選挙結果の否定から始まって、
　　　妊娠中絶禁止の提案、そしてメディケアと社会保障の改悪までです。

Voter Suppression
投票人抑制

　アメリカの選挙、とりわけ大統領選挙との関係で注目される言葉が **Voter Suppression** です。直訳すれば投票人抑制、つまり、いろいろな手段を用いて、有権者が投票しにくい状況をつくることを意味します。民主党を支持するマイノリティ票を抑えるため、共和党陣営が投票所や投票時間を限定したり、投票に際して写真やIDの提出を求めたりする Voter Suppression を画策することがあると言われます。

　同時に大きな論議になっているのが、**Mail-in Voting.**（郵便投票）です。有権者全員に投票券を送付するこの方式を採用する州が増えてきました。共和党の一部は、**Mail-in** ではなりすましなどの不正投票（**Voter Fraud**）が増大すると反対しています。民主党側は、不正についての十分な根拠もなく郵便サービスに必要な資金を供給しないのは、露骨な Voter Suppression だと主張します。

　どんな選挙においても、その結果は予断を許しません。しかし、民主主義の根幹たる投票制度そのものに疑問符が付く事態だけは避けねばなりません。

■■■ 例文

Voter suppression is the practice of employing strategies to unfairly
influence elections, by preventing or discouraging people from voting.

(*nownyc.org*)

■■ 訳　Voter suppression とは、人々が投票することを妨げたり思いとどまら
せたりして、不正に選挙に影響を与える戦略を行使することです。

269

Whataboutism
「あれは、どうなの?」式反論

　ウクライナをめぐる米露の対立、人権問題や台湾をめぐる米中のせめぎ合い等、2023年以降、国際的な緊張がますます高まっています。その報道の中で、**Whataboutism** という言葉をよく目にします。Whataboutism とは、相手の質問に対して直接答える代わりに、"What about……?" つまり「それなら、あれはどうなのか?」という反論をして、論理をすり替える Ism（やり方）のことです。

　中国の高官が、新疆での人権問題をアメリカの外交官に批判された時、それではアメリカでの人種差別はどうなのかと反論しました。アメリカのメディアによれば、ロシアのプーチン大統領は Whataboutism の名手で、記者会見でのロシア批判に対しては、論点をずらしたり関係ない事柄を持ち出したりして、巧みな弁解と反撃を展開するそうです。

　Whataboutism はもともと英国で生まれた言葉ですが、最近になって分断されたアメリカ国内で頻繁に使われる表現となったのは、非常に残念なことです。国と国、または個人同士の対立の中、批判をそらさず、堂々とした反論で賢明な合意・妥協を達成する姿勢を示してほしいものです。

■■■ 例文

Take the most recent big example of whataboutism: The Capitol riot and its circumstances compared to various other things, such as racial-justice protests. (*Washington Post*)

･･

■ 訳　whataboutism の最近の顕著な例：あの議事堂暴動とその状況が、例えば人種公平をめざす抗議運動など、他のいろいろな出来事と比べられたのです。

Whistleblower

内部告発者

　Whistleblowerは直訳すれば笛を吹く人ですが、普通は組織での違法・不正行為を内部告発する者という意味で使われます。

　2023年、アメリカ政府は*Booz Allen*という防衛・安全保障の戦略アドバイスをする会社が、関係がない経費を不正に請求したと批判しました。*Booz Allen*の女性社員がこの不正に気づき、政府にWhistleblowをした結果、明らかになったのです。会社は、総額3.7億ドルを政府に返金しました。その社員は、法律に基づいて報奨金として7,000万ドルを受領しました。政府が必要もないのに支払ったお金（防衛費、医療費など）を、市民のWhistleblowingによって取り戻すことができた場合、Whistleblowerはその金額の15％から30％を報奨金としてもらえる制度があるのです。

　一般論として、法令違反などに対して社員が内部告発するのは、大きな勇気がいることです。告発者にとっては、会社や上司から解雇されたり不当な扱いを受けたりする恐れがあります。しかし、この女性は、一人の納税者として会社の悪事を見過ごすことはできなかったと回想しています。

■ 例文

When Sarah Feinberg left the Corps, she took a job at a prestigious D.C. contractor. But when she suspected it was overcharging taxpayers $500 million, she became a whistleblower. *(NBC News)*

■ 訳 　サラ・ファインバーグが軍を退職した後、彼女はワシントンD.C.の一流の請負会社に職を得ました。しかし彼女が、会社が納税者に対し5億ドルを過請求しているのではないかと疑った時、彼女はwhistleblowerになりました。

Wrong Place Shooting

誤場所銃撃事件

　今、アメリカ社会が直面する不安の一つが **Wrong Place Shooting** です。うっかり場所を間違えて訪問した結果、銃撃されるという事件を意味し、Wrong Address Shooting とも称されます。

　ニューヨーク州で、友人宅のつもりで別の家の敷地内に進入してしまった車が、引き返す際に家の主人から銃撃され、乗車していた女性が亡くなりました。ミズーリ州で白人老人が、夜に家のドアをノックした黒人少年を強盗と思い、発砲しました。少年の命はかろうじて助かりましたが、彼は兄弟を迎えに行くべき家を間違えたのです。テキサス州では、スーパーの駐車場で不注意に他人の車のドアを開けた少女が、中にいた人物に撃たれ負傷しました。

　これらを聞いて、1992年10月に起きた服部剛丈君の事件を思い出す人もいるでしょう。ルイジアナ州の高校に留学していた少年が、ハロウィンの日に仮装して、間違った家に接近し射殺された事件です。刑事裁判で、撃った男の正当防衛が認められ無罪判決が出たことに、日本国民は衝撃を受けました。服部君の両親はその後、アメリカの銃規制を訴え続けています。

　頻発する Wrong Place Shooting が、アメリカ社会の現実の一部を映しています。治安の悪化、犯罪の増加、人種間の相互不信、そして毎日のように起きる銃乱射事件。これらが導く、保身のための銃購入……。

この悪循環を止める手立てが、今こそアメリカには必要なのです。

例文

Police in Texas are investigating yet another wrong place shooting, this
time involving teenage cheerleaders. One of the girls said she got into
the wrong car at a carpool spot, then jumped out. (*pbs.org*)

訳　テキサス州の警察は、またもや発生した **wrong place shooting** を捜査
しています。10代の数人のチアリーダーが巻き込まれたのです。少女
の一人は駐車場で間違った車に入り、その後、飛び出したと言いまし
た。

キーワード索引（ABC順）

索引

《著者略歴》
ニューヨーク州弁護士 旦 英夫（だん・ひでお）
兵庫県に生まれ、福岡、広島、仙台で育つ。大阪大学法学部卒業。サンケイ・スカラーシップにてインディアナ大学ジャーナリズム学部に留学。総合商社日商岩井株式会社在籍中に、同社の在ニューヨーク米国法人に駐在。ハーバード・ビジネス・スクールPMD。マンハッタンのグラハム・ジェームス法律事務所パートナーを経て、製薬会社エーザイ株式会社米国法人副社長・同社財団理事長。
弁護士業の傍ら、『週刊NY生活』紙に「米語Watch」、『河北新報』紙に「海外通信」、『Asahi Weekly』と『朝日新聞』に「米国がわかるキーワード」を連載。著書に国際サスペンス小説『リップスティック・ビル』（ニューヨーク生活プレス社）、『米語でウォッチ！ 日本からは見えないアメリカの真実』（PHP研究所）がある。
＊連絡先 Beigowatch@gmail.com

《イラスト》
あしたのんき
北アリゾナ大学美術科卒業。帰国後アニメーション会社勤務を経てフリーランスとなる。
アニメーション・イラストレーションの仕事をする傍ら、ワクワク、リズム、手作り、アナログ感などをキーワードにしたドローイングによる短編アニメーション、フリップブック作品を気ままに制作する。
2015年より文化学園大学勤務。日本アニメーション協会所属。

art director 奥村靫正（TSTJ Inc.）
designer 真崎琴実（TSTJ Inc.）

米語ウォッチ

アメリカの「今」を読み解くキーワード131

2024年7月11日　第1版第1刷発行

著　者	旦 英夫
イラスト	あしたのんき
発　行	株式会社ＰＨＰエディターズ・グループ
	〒135-0061　東京都江東区豊洲5-6-52
	☎03-6204-2931
	https://www.peg.co.jp/
印　刷 製　本	シナノ印刷株式会社

Ⓒ Hideo Dan 2024 Printed in Japan　　　ISBN978-4-910739-57-1